13 À TABLE !
2020

Philippe BESSON • Françoise BOURDIN •
Michel BUSSI • Adeline DIEUDONNÉ •
François D'EPENOUX • Éric GIACOMETTI •
Karine GIEBEL • Philippe JAENADA •
Yasmina KHADRA • Alexandra LAPIERRE •
Agnès MARTIN-LUGAND •
Nicolas MATHIEU • Véronique OVALDÉ •
Camille PASCAL • Romain PUÉRTOLAS •
Jacques RAVENNE • Leïla SLIMANI

13 À TABLE !
2020

NOUVELLES

Pocket, une marque d'Univers Poche,
est un éditeur qui s'engage pour la préservation
de l'environnement et qui utilise du papier fabriqué
à partir de bois provenant de forêts gérées
de manière responsable.

© 2019, Pocket, un département d'Univers Poche.
ISBN : 978-2-266-30550-1
Dépôt légal : novembre 2019

À Véronique Colucci

Chères lectrices, Chers lecteurs,

C'est la sixième édition de « 13 à Table ! », six années de liens forts avec toute la chaîne du livre, de la plume à l'encre, très engagée et qui nous accompagne sur les routes de la vie, de l'entraide et de la solidarité auprès des personnes les plus démunies. Depuis le début de cette opération, près de 5 millions de repas supplémentaires ont pu être distribués aux personnes accueillies par les Restos du Cœur, grâce à eux, grâce à vous !

Le voyage est le thème de cette édition, partons sur les routes de l'évasion et des rêves, si nécessaires.

Merci à toutes et tous d'être à nos côtés !
Belle lecture.

Les Restos du Cœur

Sommaire

Contents

Philippe BESSON

La Fin de l'été

Je n'étais pas retournée à Big Sur depuis des années.
En fait, je n'y étais pas retournée depuis le jour où Josh
m'avait dit : « Je crois que les choses ne seront pas
possibles entre nous. » Et pendant toutes ces années, je
m'étais efforcée de m'inventer une existence et, d'une
certaine manière, j'y étais arrivée : parfois on n'a pas
le choix et on réussit à continuer à vivre. Alors pour-
quoi ai-je soudain éprouvé le besoin irrésistible et bis-
cornu de revenir sur le lieu de mon bannissement ? Je
ne saurais pas vraiment l'expliquer. Il ne s'est produit
aucun incident, les circonstances ne s'y prêtaient pas,
non, ça s'est simplement imposé comme une évidence.
J'ai dû penser : Le temps s'est écoulé, et il guérit
de tout, paraît-il, alors sans doute que maintenant
j'en suis capable, sans doute que maintenant le mal
s'est apaisé.

J'ai quitté Point Loma dans le petit matin ; c'est
là que j'habite désormais. Un endroit que j'ai choisi,
il y a une dizaine d'années, parce qu'on ne peut pas
aller plus loin, parce qu'après, c'est la frontière, c'est
un autre pays, ce n'est plus l'Amérique, mais aussi

parce que, où que porte le regard, ce sont les eaux ; à l'infini. Du reste, la ville est cernée par le Pacifique.

Vous connaissez Point Loma sans le savoir : c'est de là que Lindbergh a fait décoller pour la première fois son *Spirit of St. Louis*. Les touristes, eux, viennent pour visiter le phare ou pour les plages, mais repartent vite quand ils voient les deux bases militaires et le cimetière. Je travaille au village dans une des boutiques qui vendent du matériel pour la navigation et pour la pêche. La rue est bordée de jacarandas, qui fleurissent au début du mois de juin.

Quand je quitte Point Loma, ce matin-là, j'aperçois dans mon rétroviseur une nappe de brume plongeant la péninsule dans une sorte de halo orange. Et puis je regarde devant : la route est dégagée. Si je ne me suis pas trompée dans mes calculs, je devrais mettre environ dix heures pour parvenir à destination.

Sur la Highway 5, étrangement fluide (je dis « étrangement » parce que, d'habitude, il y a des embouteillages interminables, les voitures sont à touche-touche, on met des heures pour parcourir des distances infimes), les panneaux se succèdent, désignant des villes que je contourne toutes, dont je n'aperçois que les centres commerciaux en périphérie : Encinitas, Carlsbad, Oceanside, San Clemente. Je laisse sur le côté les sorties, les embranchements, les stations-service, les réclames géantes. De toute façon, je ne viens jamais par ici. Quand Josh a énoncé l'impossible, je me suis rendue directement à Point Loma et n'en ai plus bougé. Oui, depuis lui, j'ai opté pour une existence sédentaire, enracinée. Les gens prétendent que c'est curieux de vivre sur un littoral quand on recherche l'immobilité. Mais les gens ne savent pas tout.

J'ai appris à résister à l'appel du large. Au désir d'ailleurs.

Sauf aujourd'hui, sauf ce matin-là, quand une voix me commande de retourner à Big Sur.

Au bout de deux heures de route, je décide de faire une première halte à Long Beach. On raconte que le port est un des plus grands du monde. Je m'en fiche un peu, je n'ai jamais été attirée par le gigantisme. Seul m'intéresse le *Queen Mary*, qui reste à quai et qu'on a transformé en hôtel. Mon père m'avait emmenée le voir alors que j'avais sept ou huit ans. Oui, je suis cette fillette minuscule, dans une robe beige, légère, avec un ruban dans les cheveux, qui contemple une masse d'acier et s'en émerveille. J'ai bêtement envie de vérifier que la réalité est conforme à mon souvenir. Mais, tout de suite, je prends conscience de mon erreur. Les abords du navire sont bondés, envahis par des touristes, des étrangers dont je ne comprends pas la langue, des Texans à qui on a assuré qu'il s'agissait d'une attraction immanquable et même par des jeunes mariés accompagnés de leurs familles endimanchées. Sur le quai, je repère des marins d'opérette et on me promet des spectacles pour les enfants. Je savais pourtant que la mémoire embellit tout et qu'il ne faut jamais risquer de se confronter à l'enfant qu'on était. Je fais demi-tour pour reprendre la voiture que j'avais garée dans un parking avoisinant. De toute façon, la foule ne me vaut rien. Et le devoir m'appelle. Car je n'en démords pas : c'est bien une sorte d'obligation bizarre qui me pousse à rouler vers le nord, vers le lieu du bonheur fracassé.

J'allume la radio et finis par tomber sur une fréquence qui ne diffuse que de la musique des années 70. Ce n'est pas une musique que j'aime particulièrement, mais elle convient à ce voyage. Un chanteur triste parle de sa jeunesse consumée, il prétend que son insouciance s'est perdue sans qu'il ait eu le temps de s'en rendre compte. Je descends la vitre pour qu'entre dans l'habitacle l'air du large, le vent rapporté du Pacifique. Je m'efforce de ne penser à rien, je fixe le bitume, les lignes de démarcation, j'avance sans faiblir.

À l'ouest, j'aperçois soudain des avions qui décollent, l'aéroport est tout à côté. Je songe à ceux qui partent loin, volent longtemps, mettent de la distance, ils ont le goût du dépaysement, et parfois des envies d'exil. À ceux qui débarquent aussi, avec des rêves plein la tête ; mais combien les accompliront ?

Je contourne L.A., où je suis née et où j'ai grandi : c'était dans les lacets de Laurel Canyon, dans une maison nichée sur une colline, avec des arbres tout autour, et le silence, un silence paradoxal dans cette ville-monde, mon père avait choisi cette retraite après le décès de ma mère, j'ai grandi parmi les arbres, personne n'y croit et pourtant c'est vrai. J'imagine que c'est pour cette raison que j'ai tant aimé Big Sur, la première fois, il m'a semblé que je retrouvais un peu de nature, les sols en pente, les pins odorants, sauf que, dans mon enfance, le monstre était juste à côté, il suffisait de parcourir quelques miles pour plonger dans sa gueule, alors qu'à Big Sur, on sait qu'on ne sera rattrapé par rien. À part le malheur, peut-être.

Aurait-il deviné ma présence dans les parages ? Disposerait-il d'un sixième sens ? Mon père, en tout cas, cherche à me joindre en ce moment précis : son nom s'affiche sur l'écran de mon téléphone. Je préfère ne pas décrocher. Car je sais qu'il ne pourra pas s'empêcher une fois de plus de s'inquiéter pour moi. Il n'a jamais compris la mélancolie qu'il croit deviner chez moi. Il me glissera, de nouveau, l'air de rien : « Alors, est-ce que tu as enfin quelqu'un dans ta vie ? Je suis sûr que des garçons s'intéressent à toi. Tu ne vas pas les repousser éternellement. Il ne faut pas rester seul. J'en sais quelque chose. » Vous me direz, j'aurais le droit de lui répondre : « Papa, ça ne te regarde pas. » Ou : « J'ai des histoires, ne va pas croire. Mais ça n'est jamais le bon. » Ou encore : « Ma solitude, je l'aime bien. » Cependant, je ne lui répondrai rien, je me connais. Et je suis fortiche pour éluder. Depuis le temps.

Pour oublier la sonnerie intempestive, je contemple, depuis la *freeway*, les collines de Bel Air. On dit, pour s'en désoler, que c'est un ghetto pour les riches. Moi, je peux admettre que les riches veuillent vivre avec leurs semblables et ne pas être dérangés. Je peux surtout comprendre qu'on veuille vivre entre soi.

Je continue obstinément de rouler entre montagne et océan. J'aperçois les curieux, stationnant leur véhicule là où des points de vue leur sont dûment indiqués par des pancartes. Aussitôt, ils tendent leurs téléphones portables en direction de la côte et ne la regardent finalement qu'à travers un écran de quelques centimètres carrés, l'emprisonnent pour la diffuser dans la foulée sur des réseaux sociaux, et faire accroire qu'ils ont profité d'un instant de grâce dans un paysage de rêve, alors qu'ils se sont contentés de fixer une image sans faire attention au lieu lui-même, sans humer l'air, sans être saisis de vertige.

J'approche maintenant de Santa Barbara, signalée par des allées de palmiers et dont on vante généralement le charme espagnol. Mais je ne m'arrête pas non plus, persistant à me tenir dans la solitude. Dans le déplacement solitaire. J'ai envie que ce ne soit qu'une histoire entre le rivage accidenté et moi, entre les plages inaccessibles et moi, entre les versants abrupts et moi.

La route, par endroits, se fait plus sinueuse, je gagne en altitude, je consulte la jauge de mon réservoir d'essence, il ne faudrait pas que je tombe en panne dans les parages, par moments on ne croise pas âme qui vive sur une longue distance. La radio diffuse « A Horse With No Name ». Les chansons nous font croire que les déserts nous préservent de la pluie. Je mets la musique un peu plus fort. La silhouette d'un ranch se dessine sous la chaleur vibrante du bitume, des vaches broutent une herbe jaune.

Dans ce dénuement, les images de Big Sur commencent à m'assaillir. Je revois le banc de bois, un jardin en étages, les branches tordues d'un pin et, au loin, une baleine abandonnant de l'écume dans son sillage. Je me souviens qu'il a fallu très peu pour que tout dégénère.

Je trace ma route, de mont pelé en colline de bruyère, et toujours avec la présence bienveillante des eaux venant cogner contre la roche. De temps à autre, je remarque des surfeurs dans leur étrange combinaison, j'avoue que ce n'est pas leur grâce sur la vague qui me séduit mais leur fatigue quand ils marchent contre les flots pour revenir vers le rivage, leur planche posée contre la hanche.

Josh ne faisait pas de surf, mais il m'avait emmenée une fois sur la plage de Pfeiffer, qui n'est pourtant pas facile d'accès. Nous nous étions assis sur le sable, nous avions regardé les rouleaux. C'est là que je lui avais parlé de la mort de ma mère, emportée par la maladie peu de temps après ma naissance, là que je lui avais confié que c'était parfois difficile de ne pas avoir eu quelqu'un qui montre le chemin. Nous n'étions pas restés. Il faut dire qu'il me préférait dans la frivolité. Et dans la pénombre.

Je suis perdue dans mes pensées lorsqu'est signalée la sortie menant à Cambria. Le moment est venu de faire une nouvelle halte, j'ai roulé beaucoup trop longtemps, la fatigue et la faim me gagnent. Sur la route principale, des restaurants bon marché ; j'en choisis un au hasard. Tandis que j'avale une *cobb salad*, je remarque un couple, il est plus jeune qu'elle, nettement plus jeune, il caresse sa main posée sur la table en lui souriant, autour les gens leur jettent des coups d'œil, qu'est-ce qui les choque ? l'amour qui se montre ou la différence d'âge ? Les amoureux s'en moquent, ils continuent à se dévorer des yeux ; ainsi il est possible de s'aimer au grand jour et de croire que ça va durer toujours.

À la sortie du restaurant, je repère une pompe à essence, je remplis le réservoir. En levant la tête, main refermée sur le pistolet, j'aperçois des maisons perchées sur les collines, des villas comme suspendues dans le vide ou accrochées à des chênes. La vie doit être agréable en ce lieu reculé, rien ne doit arriver par ici.

En repartant, je fais un crochet par Moonstone Drive, qui est l'attraction locale, si j'en crois le pompiste qui a beaucoup insisté. D'un côté d'une route toute droite, des motels et des cottages, qu'on jurerait sortis d'un roman anglais. De l'autre, une plage de sable noir et de galets multicolores coincée entre un océan agité et un chemin aménagé dans la bruyère. Je me dis que j'aurais pu facilement choisir cet endroit plutôt que Point Loma quand il s'est agi d'inventer un nouveau départ, mais la vérité, c'est que je voulais m'éloigner le plus possible de Big Sur et de ses souvenirs terribles. Le plus loin, c'était Point Loma.

Je devrais parvenir à destination dans moins de deux heures désormais. À la radio, je reconnais la voix caverneuse de Debbie Harry. Blondie chante les cœurs de verre et les amours enfuies. Les chansons peuvent faire mal quand elles énoncent des vérités cruelles au moment où on ne s'y attend pas.

Aussitôt, je suis envahie par la nervosité et je me demande si j'ai bien fait d'obéir à la folle impulsion qui m'a fait entreprendre ce périple. Si j'y réfléchis trente secondes, je suis bien obligée d'admettre qu'il n'existe aucune bonne raison qui me ramène dans ce lieu maudit. Aucune. Je n'entends même que des signaux d'alerte, ceux qui m'en ont tenue à l'écart jusque-là. Alors quoi ? Renoncer ? Il serait simple de rebrousser chemin, de faire la route à l'envers. Je ne me serais livrée qu'à une virée bucolique le long du Pacifique. En ne perdant pas de temps, je pourrais même être rentrée chez moi pour la nuit.

Pourtant, je m'ingénie à poursuivre. À rouler sans faiblir vers le creuset du malheur.

Lorsque j'entre finalement dans Big Sur, tout m'est redonné en un instant : les falaises tombant à pic dans le Pacifique, les chutes de McWay où j'avais sérieusement envisagé de mettre fin à mes jours, les canyons pourpres, les forêts de chênes et de sequoias où il est si facile de se perdre, et même le léger brouillard qui nimbe la côte.

Quand je descends de voiture, je songe : *Il s'est écoulé dix années, aucune chance qu'on me reconnaisse, j'étais une jeune fille alors, vingt ans à peine, j'ai beaucoup changé, et puis, de toute façon, qui à l'époque aurait prêté attention à une étudiante de passage, qui se souviendrait d'elle ?* Néanmoins, je marche en baissant la tête, mes longs cheveux roux mangent mes joues ; on ne sait jamais. Les vieillards, ceux qui ne sont jamais partis, qui mourront ici, et qui sont vaguement sorciers, voient peut-être ce que les autres ne voient pas.

Que je vous dise : j'étudiais la littérature américaine, à UCLA. Un de nos professeurs nous avait assuré que, si on aimait Jack Kerouac, Big Sur constituait un passage obligé. Pourtant, ce n'est pas sur les traces de Kerouac que je m'étais lancée, mais sur celles de John Robinson Jeffers, un poète oublié, qui a beaucoup écrit sur la côte californienne. On prétend que son pessimisme envers le genre humain l'avait amené à se retirer du monde et à choisir un face-à-face avec la nature. Je m'étais reconnue en lui. On est romantique, à vingt ans. Romantique et tragique. Ça m'est resté.

Je marche en direction de la villa aux rondins de bois, celle qui appartenait aux parents de Josh, où on se retrouvait en cachette, lui et moi, cet été-là, où j'ai été heureuse (cela ne m'était jamais arrivé, je crois bien – *jamais arrivé d'être heureuse*). Elle non plus n'a pas changé, elle a juste vieilli, par endroits le bois s'est écaillé. Les volets sont fermés. Est-elle désormais inhabitée ou bien les propriétaires en ont-ils fait une résidence secondaire qu'ils ne rouvrent qu'aux beaux jours ? Au moins, je ne serai pas aperçue. Mon seul regret est de ne pas pouvoir jeter un œil à la chambre qui accueillait jadis nos amours coupables.

Car c'est là, en effet, que Josh m'a fait rouler dans les draps, la première fois. Je me souviens que sa peau était douce et que j'ai à peine eu le temps de remarquer les grains de beauté qui parsemaient son torse. Il était impatient, j'étais terrorisée, il y a eu de la maladresse, de la rudesse, mais j'étais déjà éprise, je ne lui en ai voulu de rien. Et, au fond, c'est peut-être ça qui a fabriqué l'issue dramatique : ma soumission, d'emblée, à son désir. Il a pensé que j'obéirais toujours. Y compris quand il en viendrait à me congédier.

J'attends qu'il ne circule plus de voiture sur la route, je prends garde de n'être repérée par personne dans les alentours et j'enjambe la clôture. Puis je contourne la maison, et voilà que je foule l'herbe grasse du jardin en pente qui donne sur l'océan. Mon Dieu, tout est exactement comme je me le rappelais. Même le petit banc de bois est toujours à sa place. Un soir, Josh y avait tenu ma main, pendant de longues minutes, et j'en avais déduit qu'il m'aimait.

Le pin tordu n'a pas été coupé. Il bouche un peu la vue, pourtant. Je présume que son originalité l'a sauvé. C'est auprès de ce pin qu'un matin Josh a prononcé les mots fatidiques, ceux que je n'attendais pas, ceux que je n'avais pas vus venir, ceux qui démentaient notre intimité, ceux qui allaient précipiter la fin de l'été : « Je crois que les choses ne seront pas possibles entre nous. »

Je ferme les yeux pour occulter ce souvenir douloureux, je respire à pleins poumons, je veux humer l'odeur du pin, et le parfum salé des embruns, je veux ne pas souffrir. Je pense encore que j'en suis capable. Je pense, comme à la minute exacte où j'ai décidé d'entreprendre ce voyage, que j'en suis enfin capable. Je veux m'assurer que je ne me suis pas trompée.

Les yeux clos, je me remémore ce poème de Robinson Jeffers que j'avais recopié alors et que j'ai fini par connaître par cœur ; je le déclame en silence. « J'ai un peu changé mes habitudes, je ne peux plus marcher à tes côtés le soir le long du rivage, sauf dans une sorte de rêve, et toi, si tu rêves un moment, tu m'y apercevras. »

Quand je rouvre les yeux, l'océan rugit en contrebas, les vagues viennent s'écraser contre les rochers rouges, une volée d'oiseaux affolés s'éparpille, je vais mieux, oui je vais mieux, j'ai réussi à éloigner les mots méchants de ma défaite, ils se sont envolés avec les oiseaux, ou bien le vent les a emportés au loin. Et tout est à sa place.

Je vais m'asseoir sur le petit banc. De là, la vue est à couper le souffle. Je songe aux touristes qui s'arrêtent sur le bord des routes, armés de leurs téléphones intelligents : ils payeraient cher pour une vue pareille. Je souris.

Quand je souris, je ne vois pas le jeune homme énonçant la rupture, je ne vois pas la jeune fille dévastée, je ne vois pas le réflexe qu'elle a aussitôt, ce geste qu'elle accomplit sans réfléchir, pousser le jeune homme, le pousser violemment, je ne vois pas le jeune homme tomber, je ne vois pas son corps rebondir contre les parois de la falaise, se disloquer et s'écraser contre les rochers, je ne vois pas les vagues qui viennent lécher le corps et laver le sang, je ne vois que le vert des pins et le bleu du ciel.

Françoise BOURDIN

La croisière ne s'amuse pas

Si les romans de Françoise Bourdin sont des succès incontournables, c'est sans doute parce qu'elle a toujours eu à cœur de raconter les préoccupations de ses contemporains, sans tabou. Sa générosité, sa bienveillance et son engagement dans les problématiques de notre époque en font un auteur emblématique pour toutes les générations. Parmi ses derniers romans on peut citer *Le Choix des autres*, *Gran Paradiso* et *Si loin, si proches*, parus aux Éditions Belfond.

L'idée aurait pu être bonne. Voire excellente. Sauf que Juliette n'était pas dans un état d'esprit lui permettant d'apprécier cette surprise trop tardive. Le couple qu'elle formait avec François battait de l'aile. Un manque de points communs, l'usure de l'habitude et de mesquines petites rancœurs finissaient par les éloigner inexorablement.

Or, un soir, François était rentré en affichant un sourire énigmatique. D'un geste théâtral, il lui avait mis sous le nez une brochure accompagnée d'une enveloppe.

— Et voilà ! avait-il claironné, apparemment très fier de lui.

Dans l'enveloppe se trouvaient des billets pour une croisière, et la brochure décrivait le périple qu'ils allaient accomplir : Stockholm, Helsinki, Saint-Pétersbourg, Tallin, retour à Stockholm. Soit la Suède, la Finlande, la Russie et l'Estonie, à travers la Baltique et le golfe de Finlande. Des brumes du nord qui n'attiraient pas vraiment Juliette, amoureuse des pays chauds. Mais il y avait le but du voyage, avant que le paquebot ne fasse demi-tour, et cette ville la faisait rêver depuis toujours.

Saint-Pétersbourg ! Arrachée à la Neva, c'était l'œuvre majeure de Pierre le Grand, tsar immortalisé là-bas par son cavalier de bronze. La nuit, les ponts se dressaient à la verticale, et le jour les clochers à bulbes des églises baroques rutilaient d'or. Et puis il y avait des palais inouïs, ainsi que le fabuleux musée de l'Ermitage... Mais de combien de temps disposait-on pour admirer de telles merveilles ? Dans ce genre de croisières, Juliette savait bien que les escales étaient courtes, que des cars attendaient les passagers sur le quai, au pied du paquebot, pour les emmener comme de petits troupeaux dociles vers des visites express, commentées en trois langues.

Pourtant, Saint-Pétersbourg au pas de course valait évidemment mieux que pas de Saint-Pétersbourg du tout. Juliette avait lu les auteurs russes, s'était émue du destin tragique des Romanov dont les tombeaux de marbre se trouvaient dans la forteresse Pierre-et-Paul. Était-il prévu par le croisiériste d'aller s'y recueillir ?

Elle avait fini par sourire à François qui guettait sa réaction. Pour elle, qui aimait tant l'histoire et l'architecture, ce serait un voyage d'études. Pour lui, elle le devinait, une ultime tentative de réconciliation.

★
★ ★

Pris en charge dès leur descente d'avion, Juliette et François se retrouvèrent, quelques jours plus tard, dans la longue file des passagers attendant de monter à bord. Ils avançaient un à un le long de la passerelle et, lorsqu'ils accédaient enfin au pont, ils étaient accueillis par un membre de l'équipage chargé de vérifier les billets, les passeports et les bagages avant de débiter un petit discours de bienvenue. Guidés par un steward pressé, Juliette et François empruntèrent les longues coursives pour gagner leur cabine.

Soulagés d'être arrivés, ils découvrirent avec curiosité l'endroit où ils allaient passer sept nuits. Une bouteille d'eau et quelques chocolats avaient été déposés sur la console au-dessus de laquelle se trouvait le hublot. Un grand lit flanqué de deux chevets occupait presque toute la place, et une petite porte donnait sur la salle de douche, minuscule. Derrière une glace en pied coulissante se dissimulait la penderie. Rien de luxueux, mais le confort nécessaire. François n'avait pas choisi la meilleure des cabines ni la pire.

Juliette ouvrit les sacs de voyage et commença à accrocher leurs vêtements tandis que François lui lançait :

— Alors, qu'en dis-tu ? Nous serons comme des coqs en pâte, non ?

Bien que jugeant la pâte un peu mince, elle acquiesça. Au même instant, sortie d'un haut-parleur invisible, une voix désincarnée annonça que l'exercice de sauvetage allait débuter sur le pont principal et que tous les passagers devaient s'y présenter, munis de leurs gilets.

— Des gilets ? Où ça ? s'inquiéta François.

Juliette les avait repérés dans le bas de la penderie et elle lui en tendit un, conservant l'autre. Avant de larguer les amarres, il fallait savoir que faire en cas de naufrage. Et depuis l'horrible drame du *Titanic*, les canots de sauvetage étaient sans doute en nombre suffisant. Mais allez savoir, sur cette ville flottante remplie de milliers de passagers !

Durant l'exercice, qui se résumait à quelques gestes très simples, le commandant vint se présenter. Il était tel qu'on pouvait s'y attendre, un peu charmeur, un peu boudiné dans son uniforme, un peu vieux beau. Lors des dîners servis dans les immenses salles des restaurants, chacun aurait droit à sa photo en compagnie du commandant. Pour lui, la croisière était probablement plus mondaine et commerciale que marine. Quant à piloter ce navire, il devait sûrement s'en remettre au second et à l'équipage.

Juliette s'en voulut d'avoir ces pensées cyniques. Pourquoi tant de dérision ? Maintenant qu'elle avait embarqué avec François et qu'elle profitait de son cadeau, mieux valait se détendre et faire bonne figure. Elle lui suggéra alors de visiter le paquebot. Des ascenseurs permettaient d'aller d'un pont à l'autre, de jeter un coup d'œil aux bars, tous décorés différemment, de repérer le cinéma, le casino, le théâtre, les piscines avec leurs toboggans, la salle de sport, le bowling, la bibliothèque… Tout un univers dont on croyait ne jamais pouvoir faire le tour, mais qu'on connaissait sûrement par cœur au bout de quelques jours. En tout cas, les activités et les distractions ne manquaient pas, et François semblait déterminé à toutes les expérimenter.

C'était un de leurs problèmes, François en voulait toujours « pour son argent ». Pas vraiment avare, juste trop économe aux yeux de Juliette qui refusait de compter sou à sou. Tous deux gagnaient bien leur vie, lui comme otorhino, elle comme conceptrice dans une petite boîte de pub. En quelque sorte, un scientifique et une artiste. À lui la rigueur, à elle la fantaisie, et, s'il était l'eau, elle était le feu.

Lorsqu'ils se couchèrent, pour leur première nuit à bord, ils étaient assez fatigués pour ne pas avoir besoin de trouver un prétexte avant de se tourner le dos. D'ailleurs, depuis plus d'une année, leur vie intime se résumait à peu de chose. De temps à autre, une étreinte convenue, vite achevée. Le désir n'était plus là, et la tendresse s'amenuisait. Quand donc avait commencé le déclin de leur amour ? Ils ne se disputaient pourtant pas, se limitant mutuellement à quelques répliques cinglantes, mais le malaise était bien là. Juliette se demandait parfois pourquoi elle ne quittait pas François, et peut-être se posait-il la même question. Après tout, ils n'étaient pas mariés, ils étaient un couple libre censé *défier le temps*, ainsi qu'ils se l'étaient juré, les yeux dans les yeux. Sûrs d'eux, ils avaient acheté ensemble un appartement dont ils payaient le crédit à parts égales. Ce qui était plus difficile pour Juliette, mais elle y mettait un point d'honneur. Ils y avaient beaucoup reçu leurs amis, sauf qu'ils n'avaient pas les mêmes. Hormis ce bien commun, rien ne les attachait plus vraiment l'un à l'autre. Alors, pourquoi continuer ? Peur de se retrouver seuls ? Paresse à l'idée d'un changement de vie radical ? En tout cas, ils évitaient le sujet, que ce soit pour ne pas blesser l'autre ou pour ne pas se retrouver au pied du mur. Et Juliette avait bien conscience que cette croisière représentait peut-être la dernière chance de sauver leur couple.

Les premiers jours furent assez distrayants. S'il faisait trop froid pour profiter des piscines, en revanche ils disputèrent une partie de tennis, allèrent au cinéma, passèrent des heures sur les ponts, le nez au vent, à scruter la mer. Le soir, après le dîner, ils se rendaient aux spectacles puis jouaient quelques euros dans les machines à sous du casino, et pour finir accomplissaient un dernier tour des différents buffets *à volonté* installés à plusieurs niveaux. La Baltique était calme, et de toute façon, sur ces immenses paquebots, on ne sentait quasiment pas la houle.

Comme prévu, l'escale à Helsinki avait été brève, menée tambour battant, passionnante pour les uns, frustrante pour les autres, dont Juliette faisait partie. Elle se consolait en lisant des guides touristiques, allongée sur un transat, tandis que François courait partout, décidé à profiter de chaque divertissement offert. Il testait aussi les bars l'un après l'autre, ravi d'avoir choisi la formule « boissons comprises » dans leurs billets. Son penchant pour les apéritifs, les petits ballons de blanc et les digestifs s'en trouvait ainsi comblé, mais, dès la mi-journée, son élocution s'en ressentait. Cette griserie permanente ne facilitait pas leur rapprochement, et l'idée d'une réconciliation s'éloignait à tire-d'aile.

Heureusement, le navire fendait les flots gris, et Saint-Pétersbourg approchait ! Juliette devenait nerveuse, impatiente d'accoster. Pour les deux jours et une nuit d'escale qui les attendaient, elle avait réservé, parmi les options proposées en supplément, une promenade en bateau sur la Neva. Inclus dans leur forfait, on trouvait un tour panoramique de la ville qui permettrait d'admirer les façades des palais et des cathédrales, une petite halte dans une boutique de souvenirs, un dîner dans un restaurant *typique*, suivi d'un ballet pour ceux qui le souhaitaient, et enfin, le lendemain matin, trois heures consacrées au musée de l'Ermitage avant d'appareiller. Trois heures ? Il en aurait fallu trente ! Bonne joueuse, Juliette s'apprêtait néanmoins à vivre des moments exceptionnels.

Le premier jour, tout se déroula comme prévu. Le car qui les conduisit dans le centre historique de la ville ne disposait pas de la climatisation, mais elle n'était pas nécessaire sous ce soleil d'hiver. La boutique ne recélait aucun trésor, toutefois Juliette acheta des poupées russes et un samovar richement décoré, sans chercher à en connaître la provenance pour ne pas être déçue. De son côté, François ne fit aucune acquisition, jugeant la dépense superflue. Il se contentait de faire des photos avec son téléphone, dans le car comme dans la rue, et il mitraillait tellement qu'il ne pouvait rien admirer.

La promenade en bateau, intercalée dans le « temps libre » dont disposaient les passagers, plut énormément à Juliette en lui permettant de découvrir, le long des canaux ou sur les rives de la Neva, les merveilles architecturales dont regorgeait Saint-Pétersbourg.

Le dîner fut composé des spécialités russes attendues avec d'abord une soupe à la betterave appelée bortsch, ensuite le fameux bœuf Stroganov arrosé d'un petit verre de vodka, et enfin d'épaisses crêpes au miel en dessert. Pour terminer cette longue journée, ceux qui avaient choisi l'option du ballet furent conduits dans un petit théâtre où ils purent assister à une démonstration de danses folkloriques.

Ce soir-là, François s'écroula, épuisé, dès qu'ils regagnèrent leur cabine. Mais Juliette mit longtemps à trouver le sommeil. Jusqu'ici, on ne leur avait montré de la Russie qu'une succession de clichés, épousant au plus près les idées toutes faites qu'un étranger pouvait avoir de ce pays de légende. Impossible, dans ces conditions, de percer le mystère d'une ville aussi fascinante, ainsi que les secrets de l'âme slave. Pour Juliette, qui avait succombé aux romans russes du XIXᵉ en dévorant Dostoïevski, Gogol, Tolstoï et Tourgueniev, le manque était cruel. Cependant, elle mettait ses derniers espoirs dans la visite de l'Ermitage. Le lendemain serait, à n'en pas douter, un enchantement.

Avant de s'endormir, elle tendit la main vers François, caressa son épaule. Ici non plus, dans ce nouveau décor, ils n'avaient pas fait l'amour ni cherché à retendre le lien qui les unissait. Ou, plutôt, qui les avait unis. S'y décideraient-ils avant Tallin, avant le retour à Stockholm ? Et le jeu en valait-il encore la chandelle ?

★
★ ★

Le grand jour était enfin arrivé ! Au petit déjeuner, Juliette se montra souriante et enjouée. Mais François ne partageait pas son enthousiasme. Visiter les musées était moins distrayant pour lui que les promenades de la veille, et il aurait préféré rester sur le paquebot dont il n'avait pas épuisé tous les amusements. Néanmoins, il suivit Juliette en traînant les pieds et ils descendirent sur le quai où attendaient les cars.

Arrivés à l'Ermitage, un guide assez maussade se présenta et expliqua qu'il allait les conduire à travers les salles principales. Et, pour commencer, au rez-de-chaussée, l'Égypte antique. Juliette n'avait aucune envie de l'écouter, encore moins de le suivre, alors elle partit de son côté. Éblouie par la magnificence de l'escalier du Jourdain, elle l'emprunta aussitôt pour gagner le premier étage. Dans la salle Apollon, elle admira longuement les toiles du Caravage ; elle s'attarda dans les deux salles Rembrandt qui recélaient vingt-quatre peintures du maître ; dans la salle Léonard de Vinci, il n'y en avait que deux, de sublimes madones. Conquise par la beauté de tout ce qu'elle découvrait, Juliette remarquait aussi, au passage, les planchers faits de mosaïques en bois, les plafonds peints, les colonnes, les lustres suspendus, tous les meubles rares et authentiques qui emplissaient ce musée.

Très vite, elle perdit la notion du temps. Il y avait tant à voir ! De merveille en chef-d'œuvre, elle ne savait plus où donner de la tête. La peinture française, italienne, hollandaise, espagnole… Tout la ramenait à sa licence d'histoire de l'art, un diplôme qu'elle chérissait, bien qu'il ne lui ait pas servi à grand-chose pour trouver un métier.

Elle avait beau se dépêcher, passant de salle en salle, à chaque instant une toile exceptionnelle accrochait son regard. Elle ne prenait pas de notes, encore moins des photos, ne consultait pas sa montre : elle jouissait du spectacle.

★
★ ★

François était rentré avec les autres passagers, montant au hasard dans l'un des cars de leur croisière.

L'emploi du temps était minuté car le bateau devait impérativement appareiller à 15 heures. Pour ces géants des mers, aucune souplesse n'était consentie par les capitaineries des ports.

Persuadé que Juliette avait pris un autre car, François pensait la retrouver dans la salle du restaurant ou dans leur cabine, mais elle n'y était pas. Il se mit à la chercher, vaguement contrarié. Sa manière de se pâmer, à peine arrivée à l'Ermitage, l'avait agacé. Pire encore, au lieu de rester avec le groupe pour suivre le guide, elle avait choisi de partir seule sans même le prévenir. Pour lui rendre la pareille, il décida d'aller déjeuner car il ne voulait pas rater le moment du départ. Voir l'équipage larguer les amarres, puis sentir le navire s'éloigner lentement du quai était assez impressionnant, et les passagers se pressaient le long des bastingages pour lancer de joyeux au revoir.

Il déjeuna donc à sa table préférée tout en se demandant ce que fabriquait Juliette. Ayant raté le service, elle allait devoir se contenter d'un des buffets dressés sur les ponts. Il mangea de bon appétit puis, tandis qu'il buvait son café, l'une des accompagnatrices chargées de les escorter durant les visites touristiques vint se présenter. Elle semblait inquiète et voulait savoir si Juliette était bien à bord.

À bord ? Oui, forcément, mais il avoua qu'il n'en était pas certain. Sourcils froncés, l'accompagnatrice consulta une liasse de documents qu'elle tenait contre elle.

— Pouvez-vous venir avec moi, monsieur ? Je crois que nous avons un problème…

Le ton qu'elle venait d'employer, empreint de gravité, alarma François, et il la suivit hors du restaurant sans oser l'interroger. Ils prirent un ascenseur qui les arrêta à un étage interdit au public, puis elle le conduisit jusqu'à une salle de contrôle où se trouvaient le directeur de la croisière et trois officiers aux épaulettes rayées d'or. Dans le fond de la pièce, plusieurs accompagnatrices étaient serrées les unes contre les autres avec des mines consternées.

— Il semble que le comptage des passagers n'ait pas été effectué correctement lors de la réintégration dans les cars, attaqua le directeur.

Désignant d'un geste accusateur les malheureuses jeunes femmes, il poursuivit :

— Et donc, il en manque un ! Selon nos vérifications, il doit s'agir de mademoiselle Juliette Lacour, votre compagne de voyage.

— Mais où est-elle ? lança François.

— Probablement égarée dans le musée de l'Ermitage.

— Quelle idiote !

Sans relever l'injure, le directeur se contenta de soupirer.

— Nous avons envoyé là-bas deux accompagnatrices, en taxi. Elles sont chargées de retrouver mademoiselle Lacour au plus vite. L'appareillage de notre navire ne peut pas être retardé et, quoi qu'il arrive, nous devrons larguer nos amarres à 15 heures précises, comme prévu.

Dépassé par ce qu'il venait d'apprendre, François garda le silence. Il fut reconduit jusqu'à sa cabine mais préféra se rendre aussitôt dans l'un des bars où il commanda un alcool fort.

★
★ ★

Juliette n'avait pris conscience de l'heure tardive que bien après le départ des cars. Elle avait quitté à regret mais en hâte le musée, s'était retrouvée seule à l'endroit du rassemblement. Aucun car n'était en vue, aucun passager.

Atterrée, Juliette s'était mise à marcher de long en large, prenant conscience qu'elle n'avait pas d'argent sur elle, que son passeport et son téléphone portable étaient restés à bord, et qu'elle ne parlait pas un mot de russe. Pire encore, le paquebot n'allait plus tarder à quitter Saint-Pétersbourg. Comment retrouver le port ? Et, d'ici peu, ce ne serait plus au port mais au consulat de France qu'elle devrait se rendre ! Bien entendu, François ne l'avait pas attendue, pas prévenue, sans doute même pas cherchée. Dans les salles où les photos étaient autorisées, il avait dû s'en donner à cœur joie, avant de repartir docilement avec les autres. Mais, à présent, il s'inquiétait forcément. Avait-il averti les responsables ?

L'inquiétude grandissait, la prenant à la gorge. Où s'était-elle tant attardée ? Devant des Velásquez, des Michel-Ange, des Goya ? Trois petites heures n'avaient pas suffi, évidemment… Maintenant, que faire ? Il ne restait que quarante minutes avant l'appareillage ! L'idée d'être abandonnée là était carrément sinistre. Quand elle se mit à frissonner, elle n'aurait pu dire si c'était de froid ou d'angoisse. Autour d'elle, les gens entraient et sortaient du musée, indifférents à son sort. Elle se mit à scruter désespérément les alentours, espérant apercevoir un visage familier. En vain. Consciente de l'urgence, elle jeta un coup d'œil à sa montre dont elle aurait voulu arrêter les aiguilles. Elle imagina le paquebot s'éloignant lentement vers le large. François était-il resté à bord ? Regrettait-il de ne pas s'être soucié d'elle ?

— Mademoiselle Lacour ! Mademoiselle Lacour !

Le cœur de Juliette parut rater un battement. Elle reconnut la jeune femme qui lui adressait de grands signes, debout à côté d'un taxi.

— Par ici ! Vite !

L'accompagnatrice la poussa sans ménagement dans le taxi qui démarra sur les chapeaux de roue.

★
★ ★

À bord, le bruit s'était répandu comme une traînée de poudre : on avait perdu une jeune femme, oubliée au musée ! Massés le long des bastingages, les passagers suivaient les manœuvres d'appareillage qui avaient commencé.

François était là, lui aussi, et sentait sur lui des regards de reproche ou de compassion, car tout le monde semblait savoir qu'il était le compagnon de Juliette. Le jugeait-on coupable de ne pas être avec elle ? La responsabilité incombait pourtant aux accompagnatrices, la faute venait d'elles, de leur façon de compter les gens dont elles avaient la charge. Dans le dernier car, il aurait dû y avoir vingt-huit personnes, or il n'y en avait que vingt-sept, d'après ce qu'il avait compris. Manquait Juliette, cette idiote, il ne regrettait pas d'avoir employé le terme !

Le quai était désert, nul taxi en vue, et les premières amarres étaient défaites. Une à une, les passerelles disparaissaient tandis que la sirène du bateau ne cessait de retentir. Un marin attendait au pied de l'unique passerelle encore en place, comme pour laisser un ultime espoir jusqu'à la dernière minute.

François entendit des cris, sentit un mouvement de foule autour de lui. Un taxi venait d'apparaître, fonçant le long du quai. Il s'arrêta dans un crissement de pneus, les deux accompagnatrices et Juliette en jaillirent pour se précipiter vers la passerelle où le marin leur tendait la main. L'émotion était à son comble, un tonnerre d'applaudissements se déchaîna pour accueillir les trois jeunes femmes, des chapeaux et des bonnets furent jetés en l'air alors que le navire s'éloignait enfin du quai.

Dans cette atmosphère de liesse, François se sentit obligé de sourire en rejoignant Juliette, mais il était très gêné d'être le point de mire.

— Tout est bien qui finit bien ! lui lança l'officier en second qui se tenait à côté de Juliette.

— Oui, c'était moins une, réussit-il à répondre.

Juliette était pâle, elle paraissait épuisée. Il la prit par le bras, annonçant à la cantonade qu'ils allaient s'offrir un verre pour se remettre.

— Je n'ai pas envie de boire, je veux m'allonger, murmura Juliette.

Ils gagnèrent ensemble leur cabine dont François ferma soigneusement la porte avant d'exploser :

— Tu es folle, ma parole ! Folle ou trop bête pour t'apercevoir que tu as failli gâcher cette croisière à force d'inconséquence !

— Gâché quoi ? Le bateau serait parti à l'heure, avec ou sans moi.

— Et tu aurais fait quoi, toute seule à Saint-Pétersbourg, hein ? Quelle écervelée ! En plus, il faut toujours que tu fasses ton intéressante, alors que je déteste ça. Arriver sous les bravos a dû te combler !

Elle le dévisageait, incrédule. Se redressant, sa fatigue oubliée, elle demanda :

— Est-ce que tu m'engueules parce que tu as eu peur pour moi ?

— Pas peur, non, honte ! Tu me fais passer pour qui ? À partir de maintenant, tout le monde va nous regarder comme des bêtes curieuses.

— Tu es très sensible au regard des autres, n'est-ce pas ? Mais, s'agissant de moi, ta sensibilité disparaît. Tu ne veux pas savoir ce que j'ai éprouvé, sans argent, sans téléphone, sans papiers, et sans que l'homme censé m'aimer ait daigné se soucier de moi ?

— Tu étais partie de ton côté !

— Et toi du tien. C'est le reflet de notre couple, François. Chacun pour soi.

— Tout ça parce que je ne partage pas ton goût pour la peinture ? railla-t-il d'un ton méprisant.

— En fait, nous ne partageons plus rien…

Elle le savait depuis longtemps, mais l'énoncer rendait les choses plus claires.

— Je profiterai de l'escale à Tallin pour prendre un avion et rentrer à Paris, déclara-t-elle calmement.

— Quoi ?

— J'ai vu Saint-Pétersbourg, c'était un beau cadeau, dont je te remercie. Mais là, je te vois, toi, injuste, râleur et agressif. Tu n'as pas eu un seul mot gentil, pas davantage aujourd'hui que depuis des mois. Sur ce bateau, tu profites et tu picoles, comme si je n'existais pas. Nous sommes devenus un couple médiocre qui s'ennuie. J'en viens à croire que notre rupture ne t'attristera pas, tu seras seulement vexé. J'ai envie d'autre chose, François. Je suis prête à donner, à condition de recevoir un peu en retour. Pour moi le voyage s'arrêtera à Tallin, je vais prévenir les autorités du bateau.

Il paraissait interloqué mais, ainsi qu'elle l'avait deviné, pas très ému. Il ne chercha pas à la retenir quand elle quitta la cabine, et elle en éprouva une bouffée de soulagement, comprenant qu'elle avait pris la bonne décision, car s'obstiner ne les conduisait plus nulle part.

Elle gagna l'un des ponts pour respirer l'air du large. Le paquebot remontait le golfe, les côtes russes s'éloignaient. De retour à Paris, elle allait commencer une nouvelle vie, et c'était comme si elle avait rajeuni d'un coup et se retrouvait à vingt ans, pleine d'espoirs et d'envies. À l'angoisse éprouvée un peu plus tôt se substituait à présent un sentiment d'allégresse qui lui donna envie de rire, ce qu'elle fit, le visage renversé vers le soleil d'hiver.

Michel BUSSI

Dorothée

Michel Bussi est devenu en quelques années le 2ᵉ auteur français le plus vendu en France (source GFK / *Le Figaro*). Ses ouvrages sont traduits dans 35 pays et plusieurs d'entre eux ont fait l'objet d'une adaptation audiovisuelle. Sa signature indéniable est le « twist final » de ses histoires au dénouement toujours magistral. Parmi ses nombreux romans on peut citer *Un avion sans elle*, Prix Maison de la Presse, *Nymphéas noirs*, polar français le plus primé en 2011 et récemment *J'ai dû rêver trop fort*, paru aux Éditions Presses de la Cité.

— Vous êtes calmé, on peut redémarrer ?

Je ne sais pas ce qui m'a pris. Je voulais sans doute que Dorothée se taise, une bonne fois pour toutes.

Elle venait de prononcer les paroles de trop.

Je lui ai balancé mon café. Celui que je venais d'aller chercher au distributeur de l'aire de repos du Four-à-Chaux. Bouillant, même le plastique du gobelet vide conservait la chaleur du double Classico Lungo.

Dorothée n'a plus rien dit. Pas un mot. Comme si quelque chose s'était grillé dans son cerveau. D'ailleurs, c'est peut-être ce qui s'était passé. Une connexion entre la commande de ses pensées et celles de ses paroles avait dû sauter.

Je suis resté avec mon gobelet vide dans la main, ridicule.

Dorothée ne disait toujours rien, j'aurais préféré qu'elle hurle.

Depuis quatre heures maintenant que je la connaissais, elle n'avait pas cessé de parler, pas plus d'une minute de répit. Son silence ne présageait rien de bon.

J'ai sorti mon mouchoir, *pardon pardon pardon*, j'ai repensé aux mots de Bernard, *fais gaffe, Dorothée est la nouvelle petite chouchoute du patron*, j'ai repensé à cette fois où j'avais renversé de la Javel sur Coco, ma petite sœur, j'avais huit ans, c'était un accident, je croyais qu'il n'y avait que de l'eau dans le seau, mais Coco avait gardé des marques rouges du cou aux oreilles jusqu'à sa majorité, j'ai repensé à ces films où une fille sublime se retrouve soudainement défigurée parce qu'un sadique l'a aspergée de vitriol, mais bon là, merde, ce n'était que du café.

Un double Classico Lungo, et Dorothée n'avait rien d'une fille sublime.

Ça m'a aidé à relativiser, quelques secondes, à détourner le regard, à poser les yeux sur les gouttes noires qui dégoulinaient du tableau de bord en ronce de tulipier, sur les auréoles sombres qui grignotaient les sièges blancs en alcantara, aussi sûrement qu'un sucre trempé dans un bol de café.

Je savais que c'était sordide de penser ainsi, d'éprouver moins de remords pour avoir ébouillanté Dorothée que pour avoir salopé le tissu d'un siège baquet, mais les mots de Stan, juste avant de quitter le parking de la concession Renault de Valenciennes, continuaient de tourner dans ma tête.

T'as la dernière Mégane RS Trophy-R entre les mains, une petite merveille qui ne sera pas commercialisée avant 2020, tous les gadgets inventés par la fine fleur des ingénieurs du Technocentre de Guyancourt, des finitions cousues main par les meilleurs selliers turcs, argentins et marocains. Y en a pas cinq comme elle en circulation en France. Le boss te confie une princesse, t'en as conscience ?

Ouais, Stan, j'en ai conscience…

Et un bloc de béton de 3 tonnes l'écrase, ma conscience.

Avec de la chance, avant d'arriver à Cabourg, en frottant bien avec du Sonax, je pourrais peut-être rattraper les taches de café sur l'alcantara, essuyer les traces sur la ronce de tulipier, mais Dorothée, elle, n'allait pas me rater.

Je savais qu'elle serait inflexible, que son rapport sur ma conduite hystérique remonterait jusqu'à la direction générale. Blâme, mise à pied... Tout ce que j'avais construit depuis des années basculerait d'un coup dans une benne à déchets, même pas recyclés. Tous mes projets allaient partir en fumée : la direction de la concession de Douchy-les-Mines, les sourires de Manon à l'accueil, les pauses « déconne » avec Bernard et Stan, les bonus, les séminaires en bord de mer, les princesses à piloter, tout allait s'écrouler, s'évaporer, à cause d'elle !

À cause de Dorothée.

La chouchoute, la petite surdouée qui ne se trompe jamais, la bavarde tout à coup devenue muette...

Muette, tu parles !

Pour mieux me dénoncer dès qu'on serait arrivés. Quinze ans de carrière réduits en miettes, pour un foutu café, dans un gobelet que mon poing droit continuait de broyer.

Mon poing gauche tenait le cric, celui avec lequel j'avais levé la Mégane Trophy pour vérifier l'état du pneu. Je continuais à regarder Dorothée. Elle commençait à encaisser le choc, la surprise laissait place à l'analyse : un collègue, pardon, un collaborateur, venait de jeter sur elle l'intégralité de son café, et par la même occasion vandaliser le petit bijou sur roues qu'on lui avait confié. Mes yeux percevaient la lueur sadique qui éclairait sa satisfaction triomphante, mes

oreilles anticipaient les mots que Dorothée allait prononcer, pour me crucifier.

Ma vie professionnelle s'achèverait donc ici, aire
du Four-à-Chaux, au milieu du pays de Caux. Brûlé
vif par quelques mots de trop.

J'ai broyé ce qui restait du gobelet et j'ai serré
plus fort encore le cric, à deux mains, j'ai compris
que je n'allais pas résister à cette envie.

Frapper frapper frapper…

Cogner sur Dorothée pour écraser les mots qui
allaient me condamner, avant même qu'elle ne
puisse les prononcer.

Quatre heures plus tôt

— T'es vraiment verni !

Bernard se tenait sur le parking de la concession
Renault de Valenciennes, coincé entre le lit canalisé
de l'Escaut, deux gares de triage et une petite dizaine
d'échangeurs autoroutiers. Ambiance automne dans
les Hauts-de-France ; question réchauffement cli-
matique, le coin faisait de la résistance. Le ciel gris
ne semblait attendre qu'un coup de vent, qu'un
éternuement, pour déverser en averse ses litres d'eau
sur les tôles des hangars, sur le béton du parking,
sur nos costumes de vendeurs-baratineurs. L'orange
Tonic de la Mégane RS Trophy-R ressemblait à
une pastille colorée dans un vieux film en noir et
blanc.

— Si j'avais pas l'anniversaire de Monique ce
week-end, continua Bernard, j'aurais bien pris ta
place.

Sauf que Maféo, le boss, ne te l'a pas proposée, ai-je pensé. *Désolé, mon vieux, c'est moi qu'il a choisi pour représenter la boîte au symposium de Cabourg (tous les concessionnaires Renault du nord-ouest en seront), et pour piloter la toute nouvelle Mégane Trophy, la petite merveille que le boss vient tout juste de faire venir des Ulis.* Plus de trente concessions la voulaient, m'a raconté Maféo, et c'est lui qui l'a décrochée. Et il a ponctué son exploit d'une grande tape dans mon dos qui m'a fait cracher la pastille de menthe que je suçais.

Ça a fait rire Manon derrière son guichet. Manon, c'est la secrétaire, elle a mon âge et j'ai l'impression qu'on partage les mêmes passions, c'est-à-dire, pour résumer, les voitures et tout ce qui tourne autour. Vous auriez dû voir le sourire qu'elle m'a envoyé en me tendant les clés de la Mégane Trophy, un sourire qui voulait dire : *Mon Jean-Loup, je donnerai tout pour t'accompagner dans ton carrosse jusqu'à Cabourg.* Pour tout te dire, Manon, j'aurais bien aimé aussi. Et pas que partager la route, partager tout le week-end, au Grand Hôtel, face à la mer.

Chaque chose en son temps. En ce moment, je pense plutôt boulot, le boss me fait miroiter depuis quelques mois la direction de la concession de Douchy-les-Mines. Il me l'a dit sur le ton de la confidence alors qu'on prenait une pause clope, *ni Bernard ni Stan, les deux autres commerciaux de la boîte, n'ont les épaules assez larges, mais tu ne leur répètes pas, hein ?* Et clac, une tape dans le dos, j'en ai craché ma Marlboro.

La succursale de Douchy-les-Mines ! Je gagnerai près de 50 bornes de route chaque jour, et bien cinquante billets sur ma fiche de paye. Ça me rapprocherait de Manon aussi, elle habite Denain, je vois déjà le plan. Je l'embauche, je deviens son patron d'abord, je deviens son mari ensuite, une fille qui aime les bagnoles, qui accepte de vivre dans une petite maison avec un grand garage, ça se bichonne comme une Rolls !

J'étais toujours perdu dans mes pensées quand Stan s'est approché. On se tenait tous les trois sur le parking devant la Mégane RS Trophy-R, et je sentais bien qu'ils m'enviaient. Bernard parce que, après vingt ans de boîte, il avait toujours du mal à atteindre ses objectifs, et Stan parce que, du haut de ses vingt-quatre ans, il devait me voir comme une sorte de grand frère dans la trace duquel il aimerait glisser ses pas.

J'ai fait clignoter les phares LED de la Mégane en appuyant sur la télécommande.

— Avouez que vous avez la rage, tous les deux, les ai-je charriés. Valenciennes-Cabourg dans cette voiture du futur. 350 kilomètres pour apprendre à se connaître.

Bernard a joué les blasés. Stan, lui, avait envie de jouer.

— Jean-Loup, y a juste un petit détail que t'as l'air d'oublier, tu vas devoir te taper toute la route avec Dorothée.

Dorothée ?

Stan a sorti une clope, un briquet magique qui semblait résister à la saleté de vent qui balayait le parking, m'a laissé un peu mariner. Avant d'expliquer :

— Dorothée. La nouvelle petite surdouée du service recherche de Renault. Je l'ai rencontrée au séminaire de management, à Cœur Défense, y a deux semaines. Je l'ai écoutée surtout, pendant près de trois heures. Intarissable, incollable, aussi brillante que chiante.

L'œil de Bernard a brillé.

— Et elle est comment ?

Stan s'est marré.

— Blonde, longues jambes, poitrine gonflée à faire exploser tous les boutons de son tailleur Chanel.

L'œil de Bernard a failli tomber sur la carrosserie de la Mégane Trophy. Ça n'allait pas arranger sa foutue jalousie.

— Tu déconnes ? ai-je glissé en ne m'adressant qu'à Stan.

Il s'est fendu d'un sourire mystérieux.

— Tu verras toi-même. Ça a été négocié directement entre le service recherche et le boss. Elle fera la route avec toi, histoire de superviser la Mégane Trophy en conditions réelles. Mais, si tu veux un conseil… méfie-toi d'elle !

Mon jeune collègue a tiré sur sa cigarette, s'est redressé et m'a regardé droit dans les yeux, comme un petit frère en train de m'apprendre la vie.

— OK, j'arrête de déconner. Pour te dire la vérité, j'ai pas vraiment regardé si elle était bien roulée. Je l'ai trouvée, disons, plutôt carrée ! Rien qui dépasse, froide, autoritaire. Juste obsédée par le respect de la règle. Et pour ne rien gâcher, d'après la rumeur, c'est une moucharde. Quelques commerciaux se la sont coltinée sur des parcours d'essais, elle note tout et va ensuite faire son rapport à la hiérarchie. Tu vois, à te donner des ordres toutes les trois minutes, et si tu ne fais pas ce qu'elle te dit, elle te pourrit. Je te dis, vieux frère, sois prudent. Tous les commerciaux ont fermé leur gueule lors du séminaire de Cœur Défense, ils voulaient pas d'ennuis, mais ils me l'ont dit en off : plutôt se taper un trajet en tracteur Ergos qu'en covoiturage avec Dorothée.

Bernard a ramassé sur le capot impeccablement lustré de la Mégane, entre son pouce et son index, une invisible poussière, puis il a siffloté, comme si, soudain, l'anniversaire de Monique lui permettait d'échapper à une sacrée galère. Il m'a regardé avec un sourire de travers, celui du type qui a préparé un coup tordu et dont le plan file droit, puis m'a lancé :

— Bon voyage, mon p'tit loup !

*
* *

— Vous roulez trop vite !

J'ai levé les yeux au ciel, enfin, non, pas vraiment au ciel, la Mégane RS Trophy-R possédait tous les équipements possibles, mais n'avait pas l'option cabriolet. Avec la pluie qui tombait sur l'A29, entre Cambrai et Amiens, je n'avais aucun regret.

— Jean-Loup, pouvez-vous regarder la route, s'il vous plaît ?

Je n'ai rien répondu, j'ai juste crispé mes mains sur le volant.

Dorothée n'avait pas arrêté de faire des commentaires sur ma conduite, depuis notre départ de Valenciennes. À chaque croisement, à chaque tournant, à chaque dépassement… Respecter les distances de sécurité, ralentir même au feu vert au cas où il passerait au rouge, clignotant, contrôle rétro, intérieur, extérieur, même mon moniteur d'auto-école était moins pot de colle.

— N'allez pas trop vite, vous avez un peu trop tendance à accélérer dès que la route est droite.

Devant moi s'étendaient d'interminables champs de céréales. Ah, ils devaient se marrer, Bernard et Stan. D'ailleurs, ils n'arrêtaient pas de m'envoyer des SMS.

Stan sur le mode pro.

Alors, elle est comment Dorothée ? Plus calée que toi sur le moteur 1.8 T et les châssis Cup ? Méfie-toi, il paraît qu'elle peut aussi te prendre la tête pendant tout le trajet sur l'historique des clochers que vous apercevrez, les spécialités locales, et les meilleurs restos à moins de 5 kilomètres de chaque sortie.

Pas de danger que je sorte de l'autoroute, plus vite arrivé, plus vite débarrassé.

Bernard envoyait plutôt ses SMS en mode porno.

Alors, elle est comment Dorothée ? Plutôt jupe ou plutôt fut ? Plutôt Mégane Trophy ou Megan Fox ?

J'avais dû attendre le péage d'Hordain pour lire les messages en douce. Dorothée avait réagi dans la foulée :

— S'il vous plaît, Jean-Loup, restez concentré. Vous ne pouvez pas vous passer de votre téléphone le temps du trajet ?

J'ai encaissé sans broncher. D'ordinaire, lors des longs déplacements, je répondais en direct à mes messages en utilisant la commande vocale, mais là, avec Dorothée qui écoutait tout... Je me suis rappelé le conseil de Stan : *Méfie-toi, elle note tout puis va cafter à la hiérarchie.*

Malgré moi j'ai ralenti, pile 130, Dorothée serait contente.

Même pas !

— Ralentissez davantage ! Par temps de pluie, vous savez bien que la vitesse autorisée est de 110.

Il crachinait à peine, même si les essuie-glaces allaient et venaient.

— Franchement, Dorothée, personne ne respecte la limitation de vitesse quand il pleut !

Elle m'a sorti sa science comme une évidence.

— Les radars aujourd'hui savent très bien si vous roulez par grand soleil ou sous la pluie. Vous voulez vraiment perdre tous les points sur votre permis ?

Je n'ai même pas pris la peine de répondre. *OK, chérie, je ralentis.* Je me suis tout de même autorisé à accrocher mon portable au pare-brise et à le connecter en Bluetooth, *t'inquiète Dorothée, juste deux secondes, juste une main, je ne lâche pas le volant.* Je savais que je prenais le risque que Bernard ou Stan m'envoient un SMS, qu'il s'affiche et que Dorothée le lise. Tant pis, après tout, c'est eux qui passeraient pour des abrutis.

J'ai balancé la playlist.

Best of The Rock of all time. Compil perso. Des centaines de titres, de quoi rouler jusqu'à Bagdad sans péter un câble… J'ai à peine eu le temps d'écouter les cloches de « Hells Bells », l'intro d'Angus, que Dorothée baissait le son sans même me demander la permission.

— N'allez pas croire que je n'aime pas votre musique, Jean-Loup, mais on approche de la baie de Somme. Droit devant vous ! Ouvrez les yeux, à cette époque, les cigognes et les hirondelles n'ont pas encore migré.

— Je croyais que je devais rester concentré sur la route ?

Pour la première fois, la voix de Dorothée a laissé échapper un petit filet d'humanité. Presque un sourire.

— Un point pour vous, Jean-Loup ! Promis, je ne vous embête plus avant cinq minutes. On devrait bientôt apercevoir la flèche de la cathédrale d'Amiens. Vous ferez attention de ne pas trop pousser la voiture à fond, le virage qui suit la montée est un peu serré.

Je vous jure, Dorothée a continué ainsi pendant deux heures ! Je crois que je n'ai pas pu écouter un seul morceau sans qu'elle coupe un riff ou un solo.

Je vous vois venir, vous qui me lisez. Vous êtes en train de vous dire que je ne suis qu'un macho. Le gars qui n'a pas fait d'études – mais ça ne l'empêche pas de porter une cravate et des pompes italiennes –, qui aime les belles bagnoles et les jolies filles assises sur le fauteuil passager. À condition qu'elles se taisent !

Qu'est-ce que je peux répondre à ça ? Que je peux obéir à un mec, pas de problèmes, et faire copain-copain avec une fille, pas de problèmes, mais que j'avoue, chez les femmes, l'autorité, j'ai du mal à supporter. Ça doit venir de ma mère. Elle m'a crié dessus depuis que je suis sorti de la maternité, sans jamais s'arrêter, jusqu'au lycée. Mon père avait cessé de lutter, se la fermait, montait juste le son de la télé. Je suis parti pour ça, à dix-huit ans. Je quitte les femmes pour ça, dès qu'elles s'installent chez moi et haussent la voix, me demandent de ranger mon blouson sur un portemanteau ou ma brosse à dents du bon côté du lavabo.

Je ne crois pas que ce soit une attitude macho !

Je crois même que c'est tout le contraire, une attitude de vrai mec féministe ! Je refuse de laisser aux femmes la sphère domestique ! Je me fiche que les femmes prennent le pouvoir, deviennent présidentes de la République, patronnes, écrivaines, flics... Mais qu'elles me foutent la paix chez moi ! Et plus encore quand je suis au volant.

La voix de Dorothée m'a brutalement sorti de mes pensées.

— Arrêtez-vous !

J'ai répondu avec une touchante sincérité. Jamais je ne me serais cru capable d'autant de diplomatie.

— Voyons, je ne peux pas m'arrêter ainsi, je roule à 110 kilomètres/heure, visibilité réduite, chaussée glissante, ça serait plutôt dangereux de piler...

J'ai cru entendre Dorothée soupirer.

— Arrêtez-vous à la prochaine aire de repos. Vous roulez depuis deux heures. Toutes les études démontrent qu'il est impératif de faire une pause au-delà de cent vingt minutes de conduite.

Je n'ai même pas eu le courage de discuter. Je me suis surtout hâté de déconnecter le Bluetooth : un SMS venait d'arriver.

Stan ou Bernard ? La pause allait me donner l'occasion de me défouler en leur répondant.

— OK, ai-je capitulé. Cinq minutes, pas plus, le temps d'un petit pipi.

Ça n'a pas fait pas rire Dorothée.

J'ai fait tout bien, clignotant, ralentissement, je me suis garé avec précaution sur l'aire de stationnement.

Pour une fois, Dorothée n'a pas commenté.

Parfait.

★
★ ★

Alors, elle ressemble à quoi, la surdouée ?

Le SMS était signé de Bernard. Il ne m'avait pas l'air occupé à emballer les cadeaux pour sa chérie, le papy. Je suis sorti des toilettes et j'ai décidé d'en rajouter, j'ai tapé à toute vitesse :

Elle ressemble un peu à Michelle Rodriguez, tu sais, la bombe latino de Fast and Furious. *Brune, haut cuir, bas résille. Elle adore quand on roule à 200. On se fout des radars et des contraventions, elle dit que Carlos Ghosn peut les faire sauter.*

Je croyais que j'allais le faire enrager, Bernard devait être en train de faire la queue chez le pâtissier. Il m'a renvoyé un selfie dans la seconde qui a suivi, ses joues flétries collées à celles arrondies de Manon, et un message.

Bon voyage !

Qu'est-ce qu'ils foutaient encore au boulot, tous les deux ?

Cinq minutes de pause, pas plus...

Je n'avais pourtant pas envie de reprendre la route. Pas avec Dorothée...

Je repensais à ces deux heures d'enfer depuis Valenciennes, et aux trois heures qui m'attendaient jusqu'à Cabourg.

Je n'allais pas tenir. Je n'avais pas le choix, pourtant.

Je réfléchissais en marchant vers la Mégane Trophy. Je trouvais que ce voyage prenait une tournure étrange. Je repensais au selfie et je me demandais si les collègues n'étaient pas en train de me faire une blague, une sorte de bizutage. Ils avaient embauché une actrice, lui avaient fait apprendre un texte écrit pendant une soirée arrosée, pour me faire craquer.

J'approchais encore. J'admirais la carrosserie, les vitres fumées ; de l'extérieur, personne ne pouvait voir Dorothée, même en passant tout près.

J'en venais à me demander si je n'avais pas vu juste : le but de ce voyage était de me faire craquer ! À quelques mois de la promotion de ma vie, la direction de la concession de Douchy-les-Mines, c'était un test qu'ils me faisaient passer. Si ça se trouve, même le boss était dans le coup.

Mentalement, j'imaginais qu'il me donnait une bonne tape dans le dos.

Tiens bon, Jean-Loup, on a passé la Bresle, on est entré en Normandie.

*
* *

Je me suis assis au volant. J'ai à peine effleuré de l'index le contact Keyless, le moteur s'est mis à ronronner. C'est reparti !

— Votre ceinture, Jean-Loup.

— OK, Dorothée, ma ceinture.

Je préférais en rire.

— Tiens, puisqu'il paraît que vous êtes une surdouée, il nous reste combien de temps avant d'arriver ?

J'avais décidé de changer de méthode, de m'intéresser, de coopérer, puisque je n'avais pas le choix et qu'on devait covoiturer, pendant exactement...

— Deux heures et quarante minutes, a précisé la surdouée.

Deux heures et quarante minutes en enfer… J'ai osé en remettre une couche supplémentaire :

— Et les points d'intérêt sur le chemin ?

— C'est vrai, ça vous intéresse, maintenant ? (J'ai senti une pointe d'ironie dans la voix de Dorothée.) Je savais bien que vous finiriez par préférer mes savantes explications aux beuglements de vos rockeurs d'antan. Je suis incollable sur la Normandie, vous n'allez rien rater, promis !

Merde, pris à mon propre piège !

J'ai tout de même reconnecté le Bluetooth.

Allez, Bruce, à la rescousse.

Peine perdue !

— Sur votre droite, regardez, un clos-masure. C'est l'habitat traditionnel du pays de Caux. Pensez quand même à ralentir, Jean-Loup, et ne vous tordez pas le cou, rassurez-vous, on en croisera encore trois ou quatre autres avant Yvetot.

Bruce était écœuré, il tenta de passer la main à Freddie.

— Anticipez, Jean-Loup, le camion devant nous ralentit.

J'ai anticipé, j'ai déboîté, accéléré, et cloué le camion sur place.

— Avec vos incessants changements de vitesse, vous savez que votre consommation augmente de 30 % ?

Freddie, sauve-moi !

Freddie s'en foutait, Bono aussi, personne n'allait venir me sauver, Zorro n'était pas arrivé, juste un message vocal. Stan, qui venait aux nouvelles.

« Alors, ta passagère ? Tu ne l'as pas encore larguée sur une aire d'autoroute ? »

Dorothée, forcément, entendait tout, mais ne réagissait pas. En plus, elle n'avait aucun humour ! J'allais vivre deux heures et quarante minutes en enfer. Je vous en fais le résumé, pour que vous imaginiez. Juste quelques extraits…

« La conduite est assistée, Jean-Loup, pas besoin de vous cramponner ainsi au volant », « On traverse la boutonnière du pays de Bray, observez sur votre droite, les étangs », « Quand vous recevez des textos, évitez d'essayer de les lire en conduisant, même s'ils sont absolument passionnants », « Sur votre gauche, les hêtres de la forêt d'Eawy », « La voie se rétrécit, c'est à vous de gérer. N'oubliez pas que le véhicule qui vous suit n'a aucune visibilité », « C'est 130 Jean-Loup, 130 »

Ah ouais ?

J'ai soudain écrasé l'accélérateur.

135 140 145

Un texto de Stan.

Tu ne réponds pas, vous vous êtes arrêtés à l'hôtel ?

J'accélérais encore, Dorothée a hurlé, et, plus elle hurlait, plus j'accélérais.

150 155

Enfin, elle s'est arrêtée de crier.

Je croyais être tranquille, mais la redoutable avait seulement pris le temps de réfléchir à un autre argument :

— Je vous conseille de ralentir, Jean-Loup, et même de vous arrêter, votre pneu avant droit est sous-gonflé.

— N'importe quoi !

Je ne sentais rien, la tenue de route de la Mégane Trophy était impeccable, même à 160, même quand je lâchais le volant, quelques instants.

— Vous êtes malade !

Cling.

Un texto, de Manon, cette fois.

*Les gars m'ont dit que tu ne voyages pas seul ?
J'espère que tu t'amuses bien.*

Le texte était accompagné d'une émoticône en forme de cœur brisé. Qu'est-ce que ces connards lui avaient raconté ?

Dorothée se faisait plus autoritaire :

— Je ne plaisante pas, Jean-Loup, il faut vraiment vous arrêter. Le pneu est défectueux. Nous courons un danger. Si vous n'obéissez pas, je vais devoir téléphoner au directeur de votre agence.

Elle composait déjà le numéro de Maféo. J'ai capitulé, soupiré, ralenti jusqu'à l'aire de repos la plus proche, je me suis garé, j'ai coupé le moteur.

Aire du Four-à-Chaux.

Jamais je n'aurais cru que ma vie, et celle de Dorothée, s'arrêterait ici.

Quinze minutes plus tard

J'ai serré plus fort encore le cric, à deux mains, j'ai compris que je n'allais pas résister à cette envie.

Frapper frapper frapper…

Abattre cette barre de fer sur Dorothée pour écraser les mots qui me condamneront, avant même qu'elle ne puisse les prononcer.

Je l'ai regardée une dernière fois, je crois que, si j'avais lu en elle la moindre étincelle d'humanité, j'aurais retenu mon geste. Mais non, elle m'avait déjà jugé, sans la moindre pitié.

Alors, sans réfléchir aux conséquences, j'ai cogné, plusieurs fois, de toutes mes forces. Dorothée n'a pas eu le temps de réagir, la masse l'a fracassée. J'ai frappé encore, comme un fou, au cas où Dorothée aurait survécu à ma première pluie de coups.

C'était inutile. Tout était terminé.

Vous, ne me jugez pas, attendez.

Attendez, je suis certain que vous pourrez finir par comprendre mon geste désespéré, peut-être même le pardonner.

Quinze minutes plus tôt

Aire du Four-à-Chaux. Il y avait la queue devant la station de vérification de la pression des pneus. Ça m'a gonflé. J'aurai plus vite fait de vérifier moi-même. J'ai attrapé le cric et mouliné pendant deux minutes. Avec la rage qui m'habitait, j'aurais même pu soulever la Mégane Trophy à pleines mains, façon haltérophile.

Un sourire de triomphe m'a traversé. Dès que le pneu a décollé du bitume du parking, j'ai pu constater qu'il était nickel.

Cette petite victoire sur Dorothée m'a donné des ailes. A nourri une sorte de mépris aussi. Ainsi, la petite surdouée du Technocentre Renault n'était pas infaillible. Elle était prétentieuse, orgueilleuse, mais un obscur vendeur d'une concession de la banlieue de Valenciennes était capable de savoir mieux qu'elle si un pneu était bien gonflé ou pas.

Je suis remonté dans la Mégane, sans un mot.

Mon doigt a caressé le démarreur Keyless, avec le détachement de celui qui a le triomphe modeste. La voiture n'a pas démarré.

J'ai essayé une fois, deux fois, cinq fois.

Je me suis tourné vers Dorothée, elle n'attendait que ça. Son triomphe à elle n'avait rien de modeste.

— Jean-Loup, m'a-t-elle calmement expliqué, nous avons roulé deux fois deux heures, presque sans nous arrêter. Une pause de quinze minutes s'impose.

J'ai explosé :

— Vous vous foutez de moi ? Il reste à peine 50 kilomètres !

— On peut autant se tuer sur un trajet de 50 kilomètres que sur un trajet de 500.

J'ai de nouveau appuyé sur le démarreur, sans aucun effet.

— Comment vous faites ça, bloquer le moteur de la Mégane ?

— Vous doutiez vraiment de mes pouvoirs magiques ?

J'ai frappé des deux poings dans le volant, hors de moi, j'ai cherché connement les clés, j'ai appuyé plus fort sur le démarreur, avec chaque doigt, sans aucun résultat. La Mégane Trophy ressemblait à un appareil électronique hyper sophistiqué dont les batteries sont à plat.

— Ça ne sert à rien de vous énerver, Jean-Loup.

Quinze minutes de pause

J'ai regardé ma montre, résigné. J'ai balancé le cric devant la portière passager et je suis parti prendre un café.

En fait, j'en ai pris cinq.

Simples, puis doubles Classico Lungo.

Après quinze minutes pile, je suis revenu à la Mégane RS Trophy-R. Dorothée n'a pas pu s'empêcher d'insister :

— Vous êtes calmé, on peut redémarrer ?

Voilà, c'est là que tout a commencé, ou que tout a été terminé.

Je ne sais pas ce qui m'a pris. Je voulais sans doute que Dorothée se taise, une bonne fois pour toutes.

Je lui ai balancé mon café, d'abord.

Puis une dizaine de coups de cric, ensuite.

Vous comprenez, maintenant, je sais que vous comprenez. Je n'ai pas réfléchi aux conséquences, peut-être parce que je savais déjà que je n'avais plus rien à perdre, que j'avais déjà bousillé ma carrière avec ce voyage en enfer, et ma carrière, c'était toute ma vie.

Sur mon téléphone accroché au pare-brise, un nouveau texto venait d'arriver, un simple selfie, Manon, entourée de Stan et Bernard, me souriait.

J'ai détourné les yeux, j'ai regardé ce qui restait de Dorothée, des fauteuils en alcantara ravagés. Je savais que j'avais tout gâché.

J'ai redémarré.

Direction le Grand Hôtel de Cabourg.

Encore 50 kilomètres.

Au fur et à mesure qu'ils défilaient, Honfleur, l'estuaire de la Seine, le pont de Normandie, bizarrement, je relativisais. Après tout, ce n'était pas si grave. Je trouverais bien une excuse pour tout expliquer, pour me justifier.

Ce n'était pas le plus important.

Le plus important pour l'instant était ma dernière heure de route, dans la plus luxueuse des voitures. Avec tout le confort et tous les gadgets qu'on puisse imaginer.

Le pied complet !

À rouler à la vitesse que je voulais. À écouter la musique que je voulais.

Car, même si j'avais testé le modèle le plus évolué du marché, commandé par le logiciel d'intelligence artificielle le plus sophistiqué, doté de la commande vocale la plus réaliste qu'on puisse trouver, même si *Dorothée* était la dernière petite merveille mise au point par les ingénieurs du Technocentre...

... j'allais enfin pouvoir savourer ces derniers kilomètres, sans me prendre la tête avec un GPS !

Adeline DIEUDONNÉ

Chelly

Chelly avait garé son Hummer sur le parking de la station-service pour boire un café.

Elle aimait les stations-service de nuit, sans trop savoir pourquoi.

Ça lui évoquait Dire Straits.

Elle s'imaginait sur une route poussiéreuse du Montana, au volant d'un pick-up sans âge, la voix rocailleuse et la guitare électrique de Mark Knopfler dans les oreilles, roulant libre et sans attache, vers une destination où il serait question de chevaux, d'un ranch et d'une fête au milieu d'une prairie, avec un grand feu sur lequel grilleraient des spare ribs et des marshmallows.

Et il y aurait ce gars qui jouerait de la guitare, un peu Mark Knopfler, un peu Robert Redford dans *L'homme qui murmurait à l'oreille des chevaux*, un peu Clint Eastwood sur la route de Madison.

Un homme solide, fort, solitaire.

Un type à qui on ne la fait pas, qui aurait vécu une histoire douloureuse, une femme et un gamin morts dans un accident de la route ou quelque chose comme ça...

Un cœur un peu triste qui arpenterait la plaine sur son cheval Appaloosa, menant son troupeau de vaches vers l'abattoir, destin cruel mais juste. Elle l'imaginait endormi sous un ciel étoilé, la tête posée sur sa selle western, ses cheveux blonds caressés par le vent qui se lèverait sur le lac Missoula.

La peau de son cou sentirait le cuir souple, l'herbe sèche et la roche humide de la rivière.

Il la remarquerait, elle, Chelly.

Sans cesser de jouer de la guitare, il poserait les yeux sur ses fesses moulées dans un Levi's low waist taille 26. Son ventre tendu sous une chemise à carreaux nouée juste au-dessus du nombril, ses bras sculptés par des années de pole dance.

Et son cœur sauvage de cow-boy solitaire recommencerait à battre un peu.

Pour elle, Chelly.

Sans en être tout à fait consciente, Chelly rêvait un peu à tout ça en se garant sous le néon d'un panneau de sécurité routière *Toutes les 2 heures, une pause s'impose*, sur lequel un type souriait avec une petite fille dans les bras. Un type qui avait l'air bêtement heureux avec sa gamine et sa calvitie naissante.

En descendant de sa voiture, Chelly sentit une pointe d'agacement lui chatouiller la gorge. Ce type sur le panneau lui faisait penser à Nicolas, son mari. Et, ces derniers temps, penser à Nicolas éveillait systématiquement une forme d'animosité chez Chelly.

En traversant le parking, elle nota le reflet orangé des lampadaires sur son bras. Ça mettait en valeur le galbe de son deltoïde et de son biceps. Elle prit une photo et la posta sur Instagram. « Come on girls ! That's the way you should look like ! #motivation #hardwork #power #muscles #polefitness »

Chelly était prof de pole dance. Mais avant tout, Chelly était bloggeuse. ChellyPoleFitness, son compte Instagram, comptait pas moins de 43,7K abonnés.

Quelques heures plus tôt, en rentrant chez elle, Chelly s'était sentie fatiguée, démotivée, comme si toute sa vitalité était aspirée par un vortex dont elle ne connaissait que trop le point d'origine.

Elle avait poussé la porte de son pavillon de banlieue avec la sensation d'entrer dans la gueule d'un monstre à l'haleine tiède et neurasthénique. Elle s'était souvenue des détraqueurs dans *Harry Potter*, ces créatures fantomatiques qui se nourrissent du bonheur des gens, les vidant de toute pensée positive, de toute énergie vitale.

Et elle avait retrouvé Nicolas. Ils étaient mariés depuis onze ans. Nicolas était régisseur adjoint sur des plateaux de cinéma. Un métier difficile, rigoureux, aux horaires aléatoires.

Un métier qui exige d'être travailleur, débrouillard, résistant au stress et à la fatigue.

Onze ans plus tôt, ce qui avait séduit Chelly chez Nicolas, c'était un peu tout ça.

Avec son Leatherman et un peu de Scotch, Nicolas pouvait transformer n'importe quelle maison délabrée en un endroit vivable.

La première fois qu'elle l'avait vu, c'était à un barbecue chez des amis qui vivaient dans une casse automobile. Nicolas était en train de fabriquer des canapés avec quelques vieux pneus et des ceintures de sécurité récupérées dans les carcasses de voitures. En moins d'une heure, il avait transformé ce trou sordide en un joli petit salon d'extérieur, avec quelques phares usagés en guise de lampions.

Chelly s'était dit qu'en cas de guerre nucléaire, c'était exactement avec un homme comme Nicolas qu'elle choisirait de se lancer dans la grande aventure de la survie. Elle l'imaginait bien dans leur campement de fortune, torse nu, avec un pantalon à poches kaki et un arc à flèches artisanal sur le dos, disparaître dans la forêt en lui disant : « Reste avec les enfants, je vais chercher à manger. »
Et elle le verrait revenir quelques heures plus tard portant la dépouille fumante d'un cerf sur ses épaules musclées, des filets de sang de l'animal égorgé s'écoulant sur son torse glabre, à la peau tannée par un soleil impitoyable.
Et quand elle l'imaginait comme ça au début de leur relation, elle lui sautait dessus pour lui faire l'amour. Ce qui pouvait arriver plusieurs fois par jour. Et pendant qu'il était en elle, dans le feu de l'action, elle remplaçait l'arc à flèches par un fusil à canon scié et elle jouissait.

Leur mariage avait été prononcé à la mairie, suivi d'une fête dans la buvette d'un club de sport qui sentait le potage froid.
Ils avaient acheté une petite maison grise dans une rue grise d'un quartier gris du nord de la ville, parce que les prix y étaient abordables.
La petite maison était propre, fonctionnelle, avec du carrelage et des matériaux bas de gamme.

Dénuée de charme, mais ils s'en foutaient tous les deux, du charme…

Ils avaient été heureux au début. Ils se disputaient parfois mais ils s'aimaient et plus que tout, ils étaient fiers l'un de l'autre.

Chelly ne demandait pas grand-chose à Nicolas. Juste de la force, de la discipline et de la rigueur. Elle croyait en ça, Chelly. Comme d'autres croient en Dieu ou au syndicalisme. Elle se voyait comme un animal évoluant dans un écosystème soumis à la loi du plus fort. Les gagnants, les perdants. C'était simple à comprendre. Même un gosse de quatre ans était capable de palper cette réalité : tu bosses, tu survis, tu bosses pas, tu crèves. La sélection naturelle, les plus forts s'en sortent, tant pis pour les autres. C'est la loi de la nature. Limpide, nette et implacable. C'est si simple à comprendre.

En une décennie de travail acharné, Chelly avait creusé son trou, s'était forgé une réputation, surpassant ses concurrentes les plus tenaces.

43,7K abonnés sur Instagram.

Putain, 43,7K abonnés sur Instagram, c'était une performance de guerrière. Se constituer une telle audience était une chose, encore fallait-il la maintenir. Il fallait poster quinze, vingt photos par jour, motiver ses troupes, être au top de sa forme. Elle était un modèle, une icône, une référence. Elle régnait sur sa communauté comme une louve sur sa meute. Elle était une meneuse-née, elle avait ça dans le sang, elle le savait.

Nicolas, lui, voyait son travail comme un truc qu'il devait faire pour ne pas avoir d'ennuis. Des parents satisfaits, des factures payées, un emprunt remboursé… Ça n'avait rien d'amusant mais il fallait le faire.

Au début il avait aimé son métier. C'était nouveau, valorisant. Il avait l'impression de ressembler un peu à son idole d'enfance, MacGyver. Puis la lassitude s'était installée.

Aujourd'hui, tout ce qu'il restait de MacGyver, c'était un gars un peu bedonnant qui gaspillait sa petite flaque d'énergie vitale à se plaindre de son travail. Le boulot de Nicolas, c'était une source intarissable de frustrations, de vexations, de complots, de mesquineries et de coups bas.

Quand il avait commencé à se plaindre, Chelly s'était demandé pourquoi il ne changeait pas de métier, puis elle avait compris que Nicolas aimait ça. Elle l'avait décelé dans sa façon de raconter ses journées : il ménageait ses effets, se délectait de chaque anecdote, se soulageait de ses ressentiments avec le plaisir béat d'un nourrisson qui remplit sa couche.

Il servait à Chelly sa ration quotidienne de lamentations complaisantes avec un petit sourire de fouine. Ça commençait systématiquement par un « Ah, je ne t'ai pas encore raconté ? » (sachant pertinemment qu'il ne lui avait pas encore raconté), suivi d'un « Attends, ça vaut de l'or ».

Et il prenait son temps. Il baissait un peu la voix, plantait ses yeux dans ceux de Chelly, tout en penchant son visage vers le sol dans une attitude de soumission, la tête rentrée dans ses épaules.

Chelly l'observait en se disant que si le mot « sournois » devait avoir un visage, ça serait celui de Nicolas. Elle avait même l'impression que son vocabulaire s'était déformé, privilégiant les mots contenant un maximum de « s » pour rendre son discours plus persiflant. Même son visage semblait avoir changé. Son nez s'était allongé, son menton avait reculé, ses yeux s'étaient tapis au fond de leurs orbites comme deux petits roquets prêts à aboyer.

Et ce sourire… Cette jubilation dans l'auto-apitoiement, c'était sans aucun doute l'origine du vortex qui aspirait la vitalité de Chelly.

Ce soir-là en tout cas, elle s'était sentie lasse. Et la lassitude était une sensation qui ne rentrait pas dans le répertoire émotionnel de Chelly.

Quand elle était rentrée, Nicolas était déjà là. Il avait fini tôt aujourd'hui. Il l'attendait en grignotant des chips au paprika, assis sur son tabouret haut, accoudé au bar de la cuisine.

Elle l'avait embrassé sans affection. Un réflexe dénué de la moindre signification. Leurs baisers, c'était ça, désormais. Et quand ils faisaient l'amour, c'était ça aussi. Un truc clinique, qu'ils faisaient moins par envie que parce que ça faisait partie de la panoplie du couple.

T'es en couple, tu fais l'amour. C'est comme ça.

Si tu le fais pas, ça devient un truc bizarre, une anomalie, un problème qu'il faudra gérer à terme.

Et puis, côté physiologique, faire l'amour c'était excellent à de multiples points de vue. Elle s'était renseignée sur Internet. Un très bon exercice cardio-vasculaire, une manière efficace de brûler les graisses et d'augmenter la production de dopamine, une hormone qui améliore les performances physiques.

Elle avait posé ses affaires et était montée pour prendre une douche. Elle avait déjà pris une douche au club de sport, mais c'était une façon de gagner du temps.

L'idée de rejoindre Nicolas dans la cuisine la séduisait autant que la perspective d'un tête-à-tête avec un cadavre de phoque en décomposition.

Alors elle avait un peu pensé à Mike. C'était le prof de hip-hop qui bossait dans la salle à côté de la sienne. Un corps de félin, long, sec, souple. Une peau couleur spéculoos, un dos qui aurait détourné de ses vœux la plus fervente carmélite. Mais ce n'était pas ça qui rendait Chelly totalement folle. C'était que tout en Mike évoquait une sexualité sauvage. Cet homme semblait être sur le point de faire l'amour à chaque instant. Sa façon de bouger, sa démarche, sa main gauche qui attrapait sa bouteille d'eau, sa main droite qui dévissait le bouchon. Même quand il lui faisait la bise dans le couloir de l'école de danse, Chelly avait l'impression qu'il allait l'attraper là, contre le mur, devant tout le monde.

Mais Mike n'avait jamais manifesté le moindre désir pour Chelly.

Elle se disait qu'il devait être gay.

En sortant de sa douche, Chelly avait enfilé un survêt, puis elle était descendue rejoindre Nicolas.

Dans la cuisine, sur le plan de travail en stratifié imitation pierre bleue, elle avait commencé à préparer son jus « vitalité », qu'elle prenait avant chaque repas. Elle coupait des carottes, de la betterave et du gingembre, qu'elle passait ensuite à l'extracteur.

Elle avait fait une photo des ingrédients qu'elle avait postée sur son blog.

« One Chellyjuice a day, keeps the doctor away ! Pas d'entraînement sans carburant, girls… #beetroot #carrot #ginger #discipline #organic »

Nicolas attendait son heure, perché sur son tabouret comme un vautour guettant la mort d'un lionceau blessé, avec son grand sachet de chips au paprika. Chelly lui avait dit huit cents fois de les mettre dans un bol, de ne pas les manger directement dans le paquet, que c'était un truc de bouseux. Ce à quoi Nicolas lui répondait systématiquement : « Oh, c'est bon, on est entre nous. »

Donc Nicolas piochait consciencieusement ses chips dans le paquet. Ça faisait un bruit qui rendait Chelly hystérique. Des petits *schaff schaff* qui ponctuaient chaque phrase de Nicolas.

Il avait donc commencé sa diarrhée verbale quotidienne.

Là, il était question du régisseur général, son chef, un incompétent doublé d'un pervers qui, d'après Nicolas, l'avait pris en grippe dès le premier jour et cherchait à saboter son travail car il voyait en lui un rival redoutable, prêt à l'éjecter de son poste avant la fin du tournage.

« Et là, je lui explique que j'ai passé deux heures après la fin de journée à ranger le camion et à rassembler le

matos que ces cons de machinos nous avaient piqué et avaient laissé traîner un peu partout et là, tu sais ce qu'il me dit ? (schaff schaff)

Nan mais attends, tu vas adorer, il vaut de l'or ce mec... Il me dit, comme ça hein, j'te jure, il me dit : "Personne t'a demandé de le faire." (schaff schaff)

Du coup, il veut pas me les payer ces deux putains d'heures sup, tu le crois ça ? (schaff schaff)

Non mais je m'en fous parce que de toute façon, personne peut le blairer ce gars, j'ai qu'à aller en parler avec... »

Là, Nicolas s'était arrêté net au milieu de sa phrase.

Enfin, précisément, ce qui l'avait arrêté net, c'était la lame du couteau qui était venue se planter dans son épaule, juste sous la clavicule gauche.

Chelly avait visé le cou mais, à 3 mètres de distance, sans aucune préparation, elle avait quand même été satisfaite du résultat. Elle avait ressenti la même jubilation que lorsqu'on réussit à jeter une boulette de papier dans la corbeille.

Les yeux de Nicolas s'étaient d'abord posés sur le couteau, surpris, puis ils étaient allés vers sa femme, cherchant une explication. Explication qui leur avait été donnée par le regard impassible de Chelly. Le couteau venait bien d'elle.

Ensuite, les yeux de Nicolas s'étaient reposés sur le couteau, comme pour appréhender cette réalité nouvelle, puis étaient retournés vers Chelly pour chercher la deuxième explication : pourquoi ?

Pendant que le regard de Nicolas voyageait entre le couteau et elle, Chelly avait pensé que, face à cet événement, il avait le choix entre deux types de réaction : soit le gars au pantalon à poches kaki et au fusil à canon scié se réveillait et elle allait se prendre la raclée de sa vie, soit le petit bonhomme bedonnant au menton fuyant y verrait une source d'autoapitoiement suffisamment abondante pour s'y abreuver jusqu'à la fin de sa vie.

Elle venait de donner le gong de départ d'un combat entre MacGyver et les chips au paprika. Restait à savoir qui allait gagner.

« Mais enfin mais t'es dingue, pourquoi t'as fait ça ? »

Premier round pour les chips au paprika.
Nicolas avait essayé tant bien que mal de sortir la lame de son épaule.

« Aide-moi ! »

Chelly s'était approchée, avait saisi le manche et fait pivoter la lame d'un quart de tour dans la plaie. Nicolas avait hurlé et s'était effondré de douleur sur le carrelage blanc, imitation marbre de Carrare.

« Aaaaaah mais putain Chelly ! »

Elle s'était assise à califourchon sur lui.
Il l'avait regardée, terrifié, incrédule.
Elle avait attendu quelques secondes, laissant une chance à MacGyver de se manifester. Une torgnole, une érection, un éclat de haine dans le regard, quelque chose, n'importe quoi… Mais rien,

juste un type à l'haleine de chips au paprika qui se tortillait en pleurnichant entre ses jambes.

« Chelly, qu'est-ce que tu fais ? »

Chelly avait senti une vague de tristesse noire s'abattre sur elle. Ça lui avait fait l'effet d'une injection de jus de purin dans l'artère fémorale. Une vague de déprime gluante et nauséabonde avait envahi chacune de ses cellules, s'insinuant dans les replis les plus lumineux de son psychisme. L'homme qu'elle avait aimé n'avait jamais existé dans ce corps gémissant. Elle avait dû se tromper lorsqu'elle l'avait rencontré. Elle était jeune, sans doute un peu trop romantique. À cet instant, c'est le cœur de la jeune femme qu'elle avait été qui s'était serré. Son amour, son bel amour, son MacGyver n'existait pas. Elle avait été trompée par sa nature trop tendre.

Alors Chelly avait sorti la lame, qui avait manifestement touché une artère importante, à en croire la quantité de sang qui s'était déversée par saccades chaudes sur le carrelage blanc.

Le teint de Nicolas, déjà pâle d'ordinaire, avait tourné au bleuté. Il se débattait toujours mais trop mollement au goût de Chelly. Elle n'avait aucune difficulté à le maintenir au sol, entre ses cuisses musclées. Il émettait des petits râles suppliants, les yeux exorbités par la terreur.

Le jeu commençait à la lasser, comme une étreinte amoureuse qui dure un peu trop longtemps.

D'un coup de lame rapide et précis, elle avait tranché la veine jugulaire.

Un flot brûlant s'était échappé du cou de son mari. Des torrents rouge sombre qui l'avaient ravie.

Chelly y avait plongé les mains, se réjouissant de ce corps qui convulsait sous elle, au point que ça lui avait provoqué une certaine excitation sexuelle. Elle aurait adoré lui faire l'amour là tout de suite.

Mais déjà les convulsions avaient laissé la place à de légers spasmes réflexes.

Alors Chelly s'était relevée. Elle avait regardé son survêtement tout taché et elle s'était dit que, si elle le mettait à tremper tout de suite, elle aurait sans doute une chance de le ravoir.

Puis elle avait réfléchi quelques minutes à une méthode pour nettoyer tout ça. Tout ce sang, ça avait été rigolo sur le moment mais le lavage allait être une autre paire de manches. C'est quand même toujours pareil, les activités les plus amusantes sont aussi souvent les plus salissantes.

Elle avait commencé par colmater la plaie dans la gorge de Nicolas en enroulant du Tape gris argenté autour de son cou, pour éviter que du sang ne s'écoule encore quand elle déplacerait le corps. Elle l'avait entièrement déshabillé et avait jeté les vêtements poisseux dans un grand sac-poubelle, avec le paquet de chips au paprika. Puis elle avait épongé le sang méthodiquement, sur le carrelage, sur le tabouret, sur le corps de son Nicolas, qu'elle avait ensuite emballé dans une grande couverture en polyester imitation cachemire.

Le plus difficile avait été de le transporter jusque dans le coffre de son Hummer.

Mais Chelly avait l'esprit pratique. Avec un peu de bon sens et d'organisation, l'affaire avait été menée en moins d'une heure.

Elle était montée, s'était déshabillée, avait mis son survêt dans une bassine avec de l'eau et du détachant à l'oxygène actif, puis elle avait repris une douche, la quatrième de la journée. Elle avait encore un peu pensé à Mike et à sa peau couleur spéculoos.

Ensuite, revêtue d'un survêt propre, elle était montée au volant de son Hummer et elle avait roulé sans réfléchir à sa destination. Elle avait pris la première bretelle d'autoroute. Les Ardennes. Oh oui, bonne idée, ça, les Ardennes. Quitter la ville, voir un petit bout de nature. Peut-être une prairie bordée de résineux qui lui évoquerait vaguement le Montana.

Partir...

Et puis s'arrêter dans une station-service pour prendre un café.
Décidément elle aimait vraiment ça, les stations-service de nuit.

En entrant dans le bâtiment à l'architecture clinique, Chelly ne savait toujours pas ce qu'elle allait faire du corps de Nicolas. Mais cette question ne l'inquiétait pas outre mesure. C'était secondaire.
Tout ce qu'elle savait, c'était que là, tout de suite, elle avait envie d'un café.
Pour la suite, elle verrait.
Dans la cafétéria au linoléum jaunâtre, un distributeur automatique proposait : espresso, lungo, macchiatto, cappuccino. Elle pensa à Paolo Conte, se vit sur une petite place de Florence, assise au bord d'une fontaine entre les bras de Robert De Niro dans *Taxi Driver*.

Elle choisit un cappuccino double crème et le prit en photo qu'elle posta sur son blog.

« Sometimes, the only thing you need is some cream and sugar #pleasure #sweetness #life #freedom »

François D'Epenoux

Voyage en novlangue

Max habite un loft plutôt cosy dans un building de luxe. Le penthouse abrite un living au design high tech. En total look sportswear, le jeune hipster s'est mis en off pour le week-end.

Dimanche bluesy. Il zappe devant son home-cinéma avec sound system dolby surround : ici un blockbuster avec serial killer et road movie, là un cartoon bien cheap, ici encore un biopic avec happy end, là un thriller trashy et même franchement gore. Boring !

Désabusé, il fait de nouveau le tour de ses chaînes Freebox, y compris les sportives. Warm-up au grand prix d'Autriche. Zap. Un goal de la Juve arrête un ballon. Zap. Une handballeuse s'énerve. Zap. Un skipper casse son winch. Zap final.

Il switche sur un mag people – rien que des stars du show-biz et de la real-TV –, ouvre son ordi, repère deux ou trois trucs marrants on line, scrowle ici et là pour en savoir plus, se lasse, soupire... tente la PlayStation... et après quelques strikes, lâche son joystick de gamer pour un breakfast bien pimpé.

Menu du brunch ? Mug de café, bagels, plus un smoothie home made pour la caution healthy. Puis direction le lit king size avec en main le captivant feel good book qu'il a commencé – un page-turner devenu le best-seller du moment.

Ding ding ! Sur le smarphone, un snap de Fred en jogging :

— Partant pour un footing ?

Fan aussi bien de kitesurf que de snowboard ou de skate indoor, Fred le body-buildé est toujours dans les starting-blocks pour un ride ou un run. Un vrai coach, toujours prêt à booster son pote à coups de conseil et de canettes de Red Bull ! Mais là...

— Jocker !

— ???

— Je cocoone... Sorry... Next time, promis !

Ding ding ! Nouvelle sonnerie. Un SMS, truffé de smileys.

— No stress, mon Max... un break happy hour, alors ? Tu sais, mon spot à cocktails où j'ai un pote barman...

Pfff... Max connaît ce bar speakeasy – décor trendy et clients hype : uniquement du happy few, du rich and famous, de la simili-jet set. Et sur la playlist, rien que des sets de world music et des standards de rock remastérisés... bref, pas mal, mais pas plus que ça. Fred se montre plus pushy que jamais.

— ... Allez, go !

— Bof...

— Oh, la loose... t'es en bad ou quoi ?

— Naan... en ce moment, je bosse comme un taré... et puis hier soir l'after s'est terminé tard... enfin, tôt... un peu hardcore... ça doit être l'effet boomerang...

— Ah, OK ! Kiss.

— Kiss.

Max reprend un Nurofentabs 200, et se refait le flash-back de sa soirée clubbing. Une soirée éprouvante qui, après quelques shots de whisky, est ensuite carrément partie en freestyle... à la limite du binge drinking ! D'abord un before dans un irish pub, en mode open bar ; ensuite un touch and go pour voir le one-man show d'un copain (standing ovation, speech de l'artiste, selfies en backstage) ; puis dîner au drugstore (burger, gin fizz et cheese-cake), suivi du show case d'une chanteuse de néo-country un peu beatnik ; et pour finir, last but not least, dancefloor sous les sunlights avec squattage de carré VIP ! The place to be, forcément, avec beaucoup trop de gin-tonics on the rocks et de top models aux alentours... no comment.

Ding ding ! Fred, teasé comme pas deux, fait son come-back.

— Au fait, quitte à avoir passé une nuit blanche, ça a matché avec une douce, au moins ?

— Yesss !

— Crush ou pas ?

— Ben...

— Yeeeehaaa ! Big up pour Maxou ! Prêt pour un Facetime ?

— OK.

En Facetime, Max raconte. Crush, ce n'est pas le mot, mais parmi les fashionistas habituées du lieu, toutes interchangeables, toutes revenues d'un front row de créateur underground, genre gloss ultra girly et eye-liner too much, il a bien flashé sur une Black... pile poil dans sa target. Tinder, oui, mais en chair et en os ! De quoi faire bugger Fred, plus cash que jamais, et désireux d'un pitch complet.

— Sexy, la Black ?

— Un sex-symbol.

— Son petit nom ?

— Alya. Anglaise, je pense, avec un petit accent. Y avait beaucoup de bruit.

— Hmm... des boobs ?

— Deux airbags.

— Pas une escort, quand même ? Ou une teen en quête de Sugar Daddy ?

— Pfff...

— Dress code ? Jungle fever ?

— Nan... Look girl next door de la côte Ouest, branchée vegan et fitness...

— Je vois...

— ... avec T-shirt vintage Fruit of the Loom, shorty en jean très hippie chic... et Converse customisées Flower Power...

— Vu. Et son job ?

— Community manageuse... dans une start-up qui fait du crowdfunding sur le green market. Ou de l'engineering... je ne sais plus. Je te dis, on entendait mal.

— My God... t'es in love ?

— Juste un bon feeling...

— Bullshit ! Tu bluffes...

— Mais non ! Et puis tu me connais : step by step !

— T'as un date ?

— Pas encore, on se skype demain soir.

— Un one to one ? OK, t'es in love ! Je connais un bon wedding planner, tu sais ?

— T'es con.

— Wait and see !

— C'est ça... Allez, bye.
— Bye.

Oui, c'est peu dire qu'en ce moment Max travaille comme un fou. Résultat ? Il est down. Pas loin du burn-out. Un check-up serait indiqué. Un break aussi. Loin, très loin. Sur lastminute.com, un medley de soul dans son casque, il surfe de lodge en resort, de spa en lobby. Skyline à New York ou trecking au Népal ? Canyoning en Corse ou jet-ski aux Bahamas ? Mobile home au Canada ou paddle à Ibiza ? Autant de formules all inclusive – avec speedy boarding à la clé – qui lui donnent des envies de globe-trotter.

Après tout, il a des miles sur sa carte Flying Blue et, avec un peu de chance, même s'il prend pour peanuts un vol sur un charter low cost, il sera upgradé en business, ou, qui sait, en first class. Si tel est le cas, champagne ! Pour fêter ça, il achètera une bouteille en duty free...

En attendant, c'est pire qu'un jetlag : Max est tellement groggy qu'il s'endort à moitié dans un Fatboy, face à la télé. Au programme : d'abord un talk-show en access prime time puis, en replay, un remake un peu kitch, avec son cortège de rednecks en pick-up, de bikers décérébrés, de steaks T-bones et de baby dolls castées pour leurs mensurations XXL.

Black out.

« Huit heures, le flash. »

Max se réveille sur les news. Pas gai. Hier, à l'issue d'un match de foot, des hooligans ont massacré les supporters d'un club outsider. Slash. Après diffusion d'une sextape, une actrice de sitcom, junkie notoire, a été retrouvée inanimée, top less et overdosée. Slash. Federer a gagné sa finale sur un passing-shot magistral, à l'issue du tie-break dans le dernier set. Slash. Un chanteur des Sixties, ex-number one dans les charts avec son single « My Miss I Miss You », est mort assassiné. Slash. Le spin doctor du ministre de l'Environnement s'est mis au service d'une holding de la chimie. Slash. Et puis un hold-up. Et puis un kidnapping. Et puis un nouveau serial killer. Flippant ! Max préfère se plugger sur le morning de Skyrock. Entre deux pubs pour le Black Friday et le Happy Christmas d'une grande enseigne, il se surprend à rire comme une groupie aux punchlines, clashes et autres fake news qui font le buzz.

Après une douche – savon Bodyshop « effet peeling », shampoing Head and Shoulders – et quelques gouttes d'aftershave, Max fait un rapide passage dans son dressing. Portant slim noir, sweat gris à zip et baskets New Balance, c'est tout clean qu'un instant plus tard il se prépare son Earl Grey, debout devant sa conversation kitchen. Très vite, toasts, crackers et corn flakes font leur apparition, sans oublier un mix de fruits et de légumes.

C'est le moment pour notre geek de checker ses messages : de nouveaux followers sur Instagram et Twitter, pas mal de likes après son dernier post sur son wall Facebook, des chats en vue sur Messenger, des mails dans sa box – dont certains à forwarder – deux-trois spams à supprimer… la semaine connectée commence fort. Enfin, c'est l'heure : un tote bag en guise d'attaché-case, sa parka Canada Goose sur le dos, le voilà parti.

Personne dans son parking. Max admire le crossover Audi qu'il vient juste de s'offrir en leasing – et pour cause, à bord du SUV précédent, il a été victime d'un car-jacking. Trafic oblige, il jette un œil sur Google Maps et sur son GPS ; puis décide de s'en remettre aux indications avisées de Waze, tout en écoutant, en podcast, le best of d'une série d'interviews données par des self-made men célèbres. Ça roule. C'est ainsi que, à peine trente minute après, il arrive devant son lieu de travail, en l'occurrence l'immeuble de WINN, entité parisienne d'un groupe worldwide de communication multimétiers : customer marketing – retail et digital shopper –, communication corporate, event, social medias. Max est creative director de WINN BC, agence Brand Content du groupe. À ce titre, il a sa place au deuxième sous-sol, parmi celles des managers. Grâce au park assist, il réussit sa marche arrière du premier coup.

Dans l'open space aux couleurs flashy – tags et street art sur les murs –, ça bosse déjà. Ici, un brainstorming, avec paperboard de rigueur ; là un template sur PowerPoint, plein écran ; ici encore, un workshop. Des slides, des story-boards, des briefs. 10 heures passées. Max constate que, si l'équipe du planning strat est déjà présente, ce n'est pas le cas des créatifs. Dispatchés sur les bureaux parmi les benchmarks, les cutters et les campagnes en cours, roughs et drafts attendent l'arrivée des artistes.

Lesquels, bien entendu, se prétendront toute la semaine overbookés.

En entrant dans ce qu'il appelle sa « war room », Max retrouve ses to do list du vendredi. À savoir des Post-it collés sur des dossiers en stand-by. Du going, toujours du going. Il regarde sa montre. Parce qu'il se dit toujours « sous l'eau », son boss lui a un jour offert cette superbe waterproof à l'issue d'un team building – private joke pour l'incentiver. 10 heures et quart. Dans dix minutes, il a meeting avec les membres de son staff – les « warriors du concept », les « snippers de la Big Idea », comme ils les surnomment. Cela lui laisse à peine le temps d'une pause snack et d'un café allongé.

Quand Max revient, la dream team est déjà là. Une véritable task force composée de Ben, le brand manager ; de Chloé, une AD (Artistic Director) junior, tout juste sortie de Master 2 et arborant sur le bras un tatoo de drag queen à chapeau de cow-boy ; et de François, enfin, copyrighter senior. Attitude cool, look casual mais smart – ici c'est tous les jours Friday Wear. Sur la table, un iBook ouvert, des soft-drinks, un paquet de chewing-gum menthol.

— Hello !

— Hello...

Max attaque :

— Bon, c'est quoi le brief ?

Ben prend le lead :

— Ancien client – le groupe Cadbury –, mais new biz : Cup Cookie.

— Aaah, enfin du new biz, se félicite Max. Cup Cookie, tu dis ?

— Cup Cookie, un prospect made in England. *Grosso modo* : les Cup Cookies, ce sont des cookies, mais en forme de cup... l'idée, c'est de mettre du lait dedans.

— Comme les Américains.

— Bingo ! Ils veulent du media et de l'activation en 360. Le but est de truster tous les touch points possibles : opérations en street et en digital, bannières et pop-up sur le Web, flyers, promo avec winner per store, stickers en points de vente, sponsoring, newsletter on line brandée Cup Cookie... Ah oui, il faut aussi des tutos sur les sites de test and learn...

— Le pack complet, quoi, résume Max. Manquent plus que les pin's.

— Ils ont une baseline ? demande François.

— À nous de la trouver.

— Un code couleur ? enchaîne Chloé, en vérifiant son blush dans l'écran de son smartphone.

— Bleu blanc rouge, les trois couleurs de l'Union Jack. Ce qui tombe bien, car ils veulent aussi un brin de french touch, y compris dans le wording.

Silence passager. Max reprend :

— Et c'est bon les... euh... Cup Cookies ?

— Sur un panel de cent consos, le blind test a été concluant.

— OK... et l'insight consumer, c'est quoi ?

Ben ne se dérobe pas :

— Pas terrible. Le cookie, c'est perçu comme gras, et même franchement fat. Pas trop diet, quoi. Limite junk food. Mais eux s'orientent light.

— Light ? Super. Et ils ont une RTB[1] ?

---

1. RTB : Reason to believe.

— Ouaip. Les Cup Cookies, c'est du beurre allégé, du sirop d'agave, moins de sucre, pas de sel, et rien que du bio. Et puis le lait, c'est bon pour la santé ! On est sur le sain, le familial… Tiens, regarde, je t'ai fait le mapping.

Chloé réagit :

— Mouais… ça sent un peu le green washing, tout ça. Et puis entre bio et light, y a un gap.

Ben change de ton.

— Je sais, mais va falloir stretcher le concept pour faire comme si. Sur ce truc, on doit performer à fond. On a obligation de scorer ou alors on est morts. Si on foire, c'est un pipeline d'emmerdements, je vous le garantis.

Nouveau silence, interrompu par François :

— Et en termes de points de vente, on est comment ?

— Grande et moyenne distrib, corners avec displays implémentés dans les centres commerciaux, gros focus dans le flagship store Cadbury. Et, pour la jouer local, vente en outlet sur le lieu de prod. On jouera sans doute là-dessus pour créer un event avec la team PR[1].

— Et il te faut quoi pour la prez[2] ?

Ben parcourt son listing.

— Un KV[3] dans un premier temps, avec un claim, une body et un packshot. Si c'est validé, on décline après avec tout le kit promo. Je veux bien un mood board, aussi, avec une story pour raconter la marque et des premières idées d'activation. Si vous avez des idées de merchandising

1. PR : Public relations.
2. Prez : Présentation.
3. KV: Key Visual.

– booklets de recettes, magnets ou autres –, ce serait le nirvana.

— Combien de pistes ? relance Max.

— Trois, ce serait bien. Une quatrième en back up, au cas où.

— Ah oui quand même ! Et la deadline ?

— ASAP[1]. J'ai un call vendredi avec le client.

— Vendredi ?! s'étrangle François. C'est pas du scoring, c'est du forcing !

Ben rassure le CR[2]. Malgré son background, ce dernier reste un grand angoissé.

— Pour toi, c'est surtout du rewriting, tout est dans la reco[3]. Par contre, en DA[4]...

Chloé se sent visée, et elle a raison. Pourtant work addict, la voilà qui s'affole soudain en regardant son planning :

— On peut pas dealer un free ? Ou squeezer un truc ou deux ? Je peux pas être full time là-dessus, Ben... j'ai aussi du BP et du Danone.

— Pas possible, pas le budget, tranche ce dernier. Je ne peux pas me fighter avec les cost-killers de la compta. Mets Danone en stand-by pour l'instant. Et pour le process, mets-toi en coworking avec François. Max drive le biniou, moi je fais le go-between avec le client, on shake le tout, on speed un peu sur la fin et roule ! C'est du win-win.

— Du win-win hashtag galère, hashtag charrette, hashtag nuits blanches, résume Chloé avec le sourire

1. ASAP : As soon as possible.
2. Concepteur Rédacteur.
3. Reco : Recommandation.
4. Direction Artistique.

faussement fair-play de celle qui a conscience qu'elle a perdu le round.

Ben laisse Max, Chloé et François à leur work in progress. Les idées les plus borderline sont dans l'air. Entre autres exemples, des Cup Cookies apportés en room service par un crooner punk ; des Cup Cookies faisant fondre un skinhead à piercings ; des Cup Cookies dans le décor old school d'une granny à brushing, sur fond de bow-window, de tea-time, de muffins et de scrapbooking. Des idées dans l'air, et donc enclines à se crasher ! Chacun le sait autour de la table, convaincre Max est touchy. Les scuds préférés du boss ? « Has been », « Trop gag », « Trop dark », « Trop cheesy », « Trop gadget », « Trop mainstream », « Flop assuré ». Mieux vaut alors garder son self-control et passer à autre chose.

On en est là lorsque, vers 13 heures, tous les warnings se mettent à clignoter :

— J'ai une dalle ! lance François. Je me ferais bien un McDo.

— Tu te prends quoi ? se réveille Chloé.

— Comme d'hab : big cheeseburger, Crispy Mozza, nuggets sauce barbecue et Sundae vanille…

— Ça me va ! Tu peux me prendre la même chose, mais avec un milk-shake fraise à la place du Sundae… et me le dropper au retour ?

— OK…

— T'es trop mon p'tit donught adoré, mon François.

François rougit comme une pink lady et se retourne vers Max, grand amateur de fast-food.

— Max, tant que j'y suis, je te prends un menu Happy Meal avec onion bacon et wrap en plus, comme d'hab ?

— J'hésite... au take away en face, ils ont des club-sandwichs et des brownies à tomber... à moins que... Y a toujours le food truck sur la place ? Avec le rice-cooker et les hot-dogs ? Et les banana split ?

— Je crois bien que oui...

— Oh, tu peux me prendre ça, mon François ? À charge de revanche...

— Ça marche !

— C'est moi qui invite... note de frais ! annonce Max en brandissant sa Mastercard Gold.

Pas moins de 70 euros plus tard (« C'est du racket, on garde les restes dans un doggy bag », déclare Max), les voilà sur le rooftop arboré de l'agence, sous un soleil d'automne. « Ambiance garden-party ! » se réjouit François. « Ne manque plus que le pool house et la piscine avec liner blue lagoon », confirme Chloé, en envoyant sur son enceinte Bluetooth Bose SoundLink un peu de groove jazzy, suivi d'un hip-hop découvert sur Spotify et abondamment samplé de vieux slows revisités. De quoi attiser les envies sportives de Max : « Moi, ce qui me manque ici, c'est un bon practice de golf ! » Après une belle battle sur le top five des séries Netflix (au risque de les spoiler), le dessert s'achève sur les applis de morphing à la mode, histoire de glousser.

L'heure de reprendre approche. Mais, auparavant, pour se vider la tête, rien de tel que d'éplucher la presse people autour d'un café. Au sommaire ? Duck faces de pop stars au lifting raté ; rois du box office en couple avec leur baby-sitter ; teens quasi en string sortant des Awards au bras de tycoons à pacemaker ; blacklistés du show-biz tentant un revival sur les red carpets ; traders de banques offshores enrichis aux subprimes ; goldenboys gavés de stock-options posant en smocking devant leur jet... Bref, un festival de faux scoops, de vrais gangsters et de zooms sur photocalls !

Mais la palme du ridicule revient sûrement à la pile d'à côté, celle des magazines féminins rivalisant de covers alléchantes : « Le souping, un nouveau juicing » ?, « It girls, à chacune son itbag », « Effet wavy, vos cheveux sont-ils prêts ? », « Must have : l'aquabike perso ! », « Enquête : peut-on être glamour dans un pressing ? », « Témoignage hot : mon sex friend aime le tuning, le deathmetal et Center Park ». *N'importe quoi !* songe Max. *Mais tellement fun...*

14 h 40. Il faut s'y remettre, check-list oblige. En premier lieu, Max doit savoir vers quoi se dirigent les PR sur Cup Cookie.

— Jérôme ? C'est Max.

— Yo, man.

— Vous prévoyez quoi en PR pour Cup Cookie, finalement ?

Jérôme vient de faire son coming-out et se complaît à forcer le trait du métrosexuel qui a trop, mais alors trop le swag. Non sans un humour second degré assez décapant.

— Pour Cup Cookie, tu dis ?

— Yes.

— On pense à un sit-in dans un coffee-shop à Amsterdam. Avec, en animations, un snuff movie en streaming, une course de stock-cars dans un décor de western, des avions en looping et Dave qui chante en play-back, déguisé en steward.

À l'instar de Jérôme, Max garde son flegme. C'est leur jeu depuis longtemps.

— Parfait. Et en goodies pour les journalistes ?

— Des sex-toys en forme de Cup Cookies.

— J'adore !

Cette fois, Max craque, mort de rire. Jérôme a gagné. Mais il a la finesse de ne pas faire durer.

— Sérieusement, on pense à un lieu un peu classe, un peu gentry-gay-friendly, si tu vois ce que je veux dire. Parce que c'est aussi ça, notre cible : un bon melting-pot bobo branchouille urbain, addict au porn-food transgressif. Ambiance kitch, rose et stuc. Avec en prime une KCC – Kitchen Cup Cookie – et un show-room avec personal shoppers pour aider les journalistes à assortir les Cup Cookies à leurs vête-ments. Sans oublier des guests, bien sûr, en veux-tu en voilà, recrutés chez les bloggeuses trendy. J'en ai plein mon listing, conclut Jérôme, dont l'un des hob-bies est le name-dropping à tout-va.

Max ne s'y trompe pas.

— Ce que tu me proposes, c'est un peu la Fashion Week du Cup Cookie, non ?

— Exact, répond Jérôme, flatté.

— C'est top, mais j'ai peur que ça me coûte bonbon pour un produit qui est quand même très mass market ! Entre les royalties pour les guests et la prod, ça va faire mal.

Jérôme est vexé. Max le sent tout de suite. Ça ne manque pas :

— Tu as raison, Max, faut faire un audit. Tu sais quoi ? On va se la jouer dumping ! On va plutôt partir sur un truc bien middle-class, avec des filles wesh-wesh en baggy qui vendent des Cup Cookies sur une estrade. En invité vedette, on prend un comique ringard pour faire du stand-up en live. Et, s'il reste des sous, on met des ballons et du papier crépon.

— Jérôme, arrête…

Mais rien n'y fait, Jérôme prend sa voix la plus snob :

— Ou alors, mieux ! On fait venir des intellos, genre boy-scouts venus de l'establishment, et on crée un think-tank éphémère autour du thème : « Le lobbying du Cup Cookie dans la société contemporaine, mythe ou réalité ? »… Décor minimaliste dans une bibliothèque discount. Moi je dis que ça peut marcher.

Un peu scotché par ce numéro de diva offensée, Max a perdu son sourire.

— Tu passes d'un extrême à l'autre… je demande juste une voie médiane… ah, merde, j'ai un appel sur l'autre ligne… je te rappelle, Jérôme.

— OK, kiss.

— Kiss.

Max poursuit sa journée avec l'œil sur sa montre et l'impression que le temps passe lentement. Comme souvent le lundi, l'après-midi est rythmé par les questions les plus variées posées à ses collaborateurs. « Xav, j'ai vu les rushes du film Danone, c'est pas mal… Tu peux demander à Sandra si on a le making-of ? », « Isa, il me faut le sourcing des chiffres sur Nutella, là on risque le bashing », « Nadia, le kick-off à Genève, c'est bien le 18 ? », « Chloé, tu me fais le reporting sur le shooting Toyota ? », « Xav, c'est encore moi, il nous faut un gimmick hyper fort sur le jingle Fruitissimo... tu vois avec Sandra si on a ça en stock ? »... sans oublier une question récurrente, la plus importante, celle qu'il se pose à lui-même : « Est-ce que je rappelle Alya ? »...

Bonne question, en vérité. Tant il est vrai que, au fond de lui, Max en a marre de multiplier les one-shot sentimentaux, d'alimenter un turn-over qui n'a jamais de fin, de passer de l'une à l'autre entre deux no (wo)man's lands, tristes séquences pendant lesquelles il dort seul dans son slip. Au fond, Max doit enfin comprendre que l'amour n'est pas un business model ! Mais pour cela, il doit faire son big bang intérieur, quitte à se mettre un patch sur le cœur.

La solution, ce serait qu'il se remette à... flirter à l'ancienne ! Oui, à l'ancienne. Pas sur écran, mais comme dans les Sixties, quand on s'embrassait dans un drive-in au volant d'une Chevy décapotée, seau de pop-corn à la main. Autrement dit : faire travelling arrière, connaître une love story qui soit success story, à l'image de celle de ses parents, baby-boomers tombés amoureux en dansant sur le pont d'un ferry-boat... et toujours en honey moon ! Alors oui, pourquoi pas ? Pourquoi ne pas l'appeler, la magnétique Alya, elle qui précisément, comme dirait sa mère, a tant de sex-appeal ? Mercredi, se dit Max, il y a un afterwork dans un lounge, à deux pas. N'est-ce pas l'occasion rêvée ?

Max en est là de ses réflexions quand son smarphone se rappelle à lui. Numéro inconnu. Et si c'était Alya ?

— Hello, Max, c'est Xav, l'assistant de Sandra...

— T'as mon phone perso ? C'est à quel sujet ?

— Au sujet du gimmick sur le jingle Fruitissimo...

Silence, puis :

— Oui, so what ?

— Je comprends pas trop, reprend Xav. Tu entends quoi par « gimmik sur le jingle Fruitissimo » ?

Max soupire ostensiblement.

— Tu sais ce que c'est qu'un gimmick ?

— Oui, je crois…

— Ben voilà ! Pour le billboard Fruitissimo, celui qui sera en access, tu me fais un gimmick sur le jingle qui vient juste après le packshot.

— Mais…

— Putain, c'est pourtant simple ! À la fin du bill-board, tu me fais un gimmick ! Sur le jingle ! Après le packshot ! Je parle français, non ?

— Euh…

— Oui ou non ?

— Oui, oui, bien sûr…

— OK. J'attends ton feedback.

Et Max de raccrocher sans autre forme de procès. Et Max de bondir, ulcéré, hors de sa chaise. Mauvaise idée. Dans son exaspération, le voilà qui se prend les pieds dans un objet lourd, trébuche, puis s'étale de tout son long sur la moquette… non sans se cogner au passage la tête contre une étagère. Boum !

Objet du délit ? Un dictionnaire. Mal placé, mal rangé, traînant par terre – le hasard fait parfois bien les choses. Un bon gros *Petit Robert de la langue française* qui, pour se définir lui-même comme « petit », n'en est pas moins assez massif – 2 842 pages tout de même – pour provoquer le vol plané d'un homme adulte. Et, par la même, constituer la chute toute trouvée de cette histoire…

Car, avec ce vol plané, par la simple magie d'un contact avec un vieux dico, Max ignore encore qu'il vient de décoller pour un incroyable voyage... Un voyage dans le temps, qu'il va vivre comme un oiseau, porté par les deux « l » du mot émerveillement. Un voyage retour dans une langue qu'il croyait oubliée.

Le voilà parti pour de bon. Plus léger que l'air, il plane. Sous ses yeux défilent des pages entières d'histoires, des rivières de mots, des forêts de définitions et des champs sémantiques étendus à l'infini – bref, un vocabulaire foisonnant de richesses et vaste comme un pays. Plus loin, des massifs entiers de verbes pleins de verve, des chaînes de noms communs qui n'ont rien de commun, le tout hérissé de sommets de truculence...

Sans oublier des mots, des mots partout ! Des mots aussi rares que savoureux, tels que le pétrichor et le sylphe, la nitescence et l'hubris, l'ilote et le beaupré, le phaéton et la carabistouille, le famulus et le guillochis. Et puis des mots qui sonnent, des mots qui tintent ! Des mots qui viennent du monde entier et pas seulement d'Amérique ou d'Angleterre. Ici, margoulette et zazou, vertuchou et esperluette, turlutaine et billevesée. Là, amphigouri et salmigondis, fifrelin et pamoison. Ici encore, galéjade et histrion, rodomontade et sot-l'y-laisse. Et puis vétille, et puis métamère. Et puis caboulot, et puis baguenaude, et ainsi de suite, à l'horizon, à l'infini, comme des nuages qui s'évaporent sur un paysage unique.

Estoc, liseron, noroît, phalangine. Fauchaison, haridelle et zeuzère !

En somme, notre homme vient de faire sienne cette phrase de Balzac : « J'ai accompli de délicieux voyages, embarqué sur un mot. » Plusieurs mots, en l'occurrence. Alors, forcément, l'atterrissage est rude. Et il agit sur Max comme une prise de conscience. La conscience d'être tombé *on the head*. Pardon, d'être tombé sur la tête. Depuis longtemps, déjà. Bien avant ce jour, bien avant de trébucher sur un *Petit Robert*. Il n'est pas le seul, des millions de gens sont comme lui.

Toujours assis par terre, c'est donc plein de reconnaissance qu'il regarde à ses pieds l'épais ouvrage à la couverture toilée, millefeuille de papier bible qu'on n'a jamais fini de dévorer. Ce gros ouvrage qui, à sa manière, lui a rappelé que rien n'est plus efficace que de soigner le mal par le mal. Et auquel il doit la chance d'être enfin revenu sur terre.

Avec les égards qui lui sont dus, Max range le vénérable ouvrage sur son étagère. Puis, comme régénéré, il reprend son travail, dans l'attente du feedb… désolé, du retour d'information de Xavier.

*
* *

Reprenant ainsi le fil de la journée, Max demande de nouveau à Chloé un rapport sur la prise de vue Toyota. À la suite de quoi il se voit confirmer par Nadia que la convention du groupe aura bien lieu le 18, à Genève. Enfin, il rappelle longuement Jérôme au sujet de la soirée de relations publiques donnée pour le lancement de Cup Cookie en France : à quels lieux tendance ce dernier a-t-il pensé ? À quels invités ? Tiens, à propos de Cup Cookie, Max se renseigne aussi auprès de ses créatifs pour connaître leurs premières pistes de visuel clé. Il consulte son agenda. De fait, les délais sont courts, il va falloir aller vite.

La journée touche à sa fin. Avant de reprendre sa voiture dans le garage, Max vérifie une dernière fois ses messages sur son téléphone. Les prénoms défilent dans sa liste de favoris. L'un d'eux lui saute aux yeux : Alya. C'est décidé, il va la rappeler. Son cœur bat. Il a hâte. Fort de sa caméra de recul, il fait vite sa manœuvre. La circulation est plutôt fluide, il a tôt fait d'arriver devant son immeuble.

Une fois arrivé chez lui, c'est presque inconsciemment qu'il repousse l'échéance de l'appel. Par réflexe, il allume la télévision, sans le son. Pfff... une fois encore, il a beau changer de chaîne, c'est toujours la même musique : émissions de débat, dessins animés, films policiers et tueurs en série. Aussi se prépare-t-il une tasse de thé... avant d'atterrir sur son lit, pour y feuilleter le roman à succès qu'il a entamé. Mais impossible de se concentrer.

Enfin, il se décide. Plus question de repousser le moment fatidique. En tenue décontractée, bien installé dans l'ambiance douillette et le décor contemporain de son appartement, sa terrasse lui offrant une belle vue sur le ciel, Max prend une grande respiration et déclenche l'appel. Alya répond au bout de trois tonalités. Max lui propose d'aller boire un verre mercredi. Dans un bar, à deux pas, juste après le travail. Une façon agréable de terminer la journée. Ce qu'elle accepte sans chichis, et avec plaisir.

La soirée arrive enfin. Quand Max voit arriver la jeune femme dans le bar, celle-ci se révèle plus belle encore que dans son souvenir. Alya est une femme magnifique, anglaise d'origine camerounaise, répondant en tout point à ses goûts ; sportive, séduisante, attirante ; portant, ce qui ne gâche rien, une tenue colorée qui dissimule mal des formes appétissantes.

Au fil de leur conversation, Alya se révèle également belle de l'intérieur, tout entière vouée à un métier passionnant – l'activation de réseaux sociaux au sein d'une jeune entreprise spécialisée dans l'investissement vert – et dévouée à la cause qui lui tient à cœur : l'écologie. De quoi, oui, taper dans l'œil de Max.

Si bien que, lorsqu'elle lui apprend, et cela presque sans accent, qu'elle « adore le langue française, ses sioubtilités, sa ritchesse », cette fois il ne peut s'empêcher de la trouver irrésistible. De fait, malgré l'heure avancée, elle n'a même pas buté sur un seul mot !

Buté ? Non sans une pensée émue pour son *Petit Robert*, Max se penche alors vers elle. Elle comprend, lui sourit, et tous deux, enlacés, s'embrassent longuement, mélangeant leurs langues, mais cette fois pour la bonne cause.

Un exemple éloquent de *french kiss*, en somme !

Comme disent les Anglo-Saxons.

~~THE END~~
FIN

Éric GIACOMETTI
&
Jacques RAVENNE

Le Regard de Méduse

Amis depuis l'adolescence, férus de symbolique et d'ésotérisme, Éric Giacometti et Jacques Ravenne ont inauguré leur collaboration littéraire en 2005 avec *Le Rituel de l'ombre*, premier opus de la série consacrée aux enquêtes du commissaire franc-maçon Antoine Marcas. Ce duo, unique, du profane et de l'initié, a vendu plus de 2 millions d'exemplaires en France et est traduit dans 18 pays. Ils ont récemment entamé l'écriture d'un nouveau cycle, *Soleil Noir*, publié aux Éditions Lattès, avec *Le Triomphe des ténèbres* et *La Nuit du mal*.

Le dôme de la cathédrale Santa Maria del Fiore rougeoyait une dernière fois sous les rayons d'un soleil couchant trop ardent pour la saison. L'océan de tuiles de la ville ondulait à mesure que la lumière se retirait des toits incandescents. Accablée de chaleur depuis l'aube, Florence retrouvait enfin un peu de fraîcheur. Même l'Arno semblait avoir repris des couleurs.

Il était 7 heures précises à l'horloge du Palazzo Vecchio. Le palais-forteresse dominait sans partage la piazza della Signoria qui grouillait de nombreux essaims de touristes venus des quatre coins du monde. Marchands ambulants de souvenirs bon marché et restaurants, aux tarifs bien trop excessifs pour leur carte, leur siphonnaient les poches avec application. Nul effluve délicat d'iris, la fleur magique du parfumeur Santa Maria Novella, ne planait sur la place, mais d'agaçants relents de déodorants bas de gamme excrétés par les pores saturés des nouveaux envahisseurs.

Sous les arcades de la majestueuse Loggia dei Lanzi, un guide et deux touristes, une mère et sa fille, échangeaient devant le socle de la statue dénudée et armée de Persée.

— Billets coupe-file, appli audioguide téléchargée, vous avez tout pour passer un bon moment à la galerie des Offices. Vous ne voulez vraiment pas que je vous accompagne ? C'est compris dans la formule.

Giovanni, le représentant de l'agence de tourisme Mondo Blu, tendit à Cathy deux coupons à code-barres illustrés d'un visage poupin et satisfait. Le *Bacchus* du Caravage.

La Française les enfourna dans son sac et secoua la tête.

— Non, j'ai négocié avec ma fille une heure et demie de visite sans guide. Elle n'est pas très musée. À son âge, ses passions culturelles seraient plutôt les réseaux sociaux et... elle-même. N'est-ce pas, Chloé ?

— Merci, Maman, tu me fais encore passer pour une débile, répliqua la jolie brune qui ne quittait pas son smartphone des yeux.

Cathy lança un regard dépité sur sa fille qui se mitraillait de selfies devant la statue du héros casqué, tenant une épée de la main droite et la tête tranchée de Méduse de la gauche. Sourire enjoué, moue dubitative, œillade complice ou énigmatique, mine enjôleuse, visage tourné de trois quarts... Chloé s'appliquait à prendre les poses les plus avantageuses. Ce qui agaçait au plus haut point sa génitrice, effarée par ce flot d'autocélébration quotidien. Vues de l'extérieur, mère et fille affichaient de notables différences, au point que l'on pouvait s'interroger sur leurs liens de parenté. La première avait une allure sportive, cheveux courts, colorés blond pâle, sans une once de maquillage, le port volontaire, le regard sombre mais direct, la seconde cultivait une apparence plus fragile, l'ovale du visage faisait ressortir des yeux étonnement clairs, héritage du père. Sans compter le fond de teint soigneusement étudié et le rouge à lèvres un peu trop éclatant pour son âge. En voyage, la mère plébiscitait jean, T-shirt, blouson léger et tennis de marque indéfinie, la fille, elle, ne jurait que par des vêtements griffés qui mettaient en valeur sa silhouette élancée, des cadeaux du père, et des chaussures à talons compensés qui se transformaient en instruments de torture au bout d'un quart d'heure de marche.

La cycliste et la poupée.

C'étaient les surnoms qui jaillissaient quand elles se chamaillaient.

— Ma chérie, fais attention, lança la mère.

— À quoi ?

— Ta beauté, ton magnétisme, ta célébrité vont éclipser Persée, ce modeste personnage de la mythologie qui tente d'exister derrière toi.

— Pfff.

Cathy soupira.

— De mon temps, on prenait les photos des œuvres d'art, maintenant, elles servent de décor pour les selfies. Décadence d'une civilisation…

Le guide hocha sa tête à la chevelure plus poivre que sel.

— Je compatis. J'ai aussi un ado qui utilise une bonne partie de son temps de cerveau disponible sur Snapchat et Instagram. C'est une question de génération, *signora*. Ça passera avec le temps.

Il arborait un sourire étincelant. Trop. En professionnelle accomplie, Cathy avait tout de suite identifié la rangée de facettes en porcelaine. Comme souvent dans les pays du sud de l'Europe, ses confrères dentistes choisissaient des teintes hollywoodiennes.

Le contraste était trop prononcé entre sa carnation brune et la blancheur immaculée de la dentition. Si le séduisant quadra était venu la consulter dans son cabinet de Rennes, elle lui aurait conseillé deux teintes en dessous. Il aurait été encore plus craquant. Du moins à son goût.

— Adoptez-la, je vous la laisse pour un bon prix.

— Elle a pourtant l'air d'apprécier le sculpteur Benvenuto Cellini, dit le Florentin qui se tourna ensuite vers la jeune fille. Connais-tu la légende de Persée ?

— Oui, il a tranché la tête d'une des trois sœurs Gorgone, Méduse, qui avait le pouvoir de paralyser ses victimes uniquement en les regardant. Contrairement à ce que croit ma mère, je ne passe pas ma vie sur les réseaux sociaux, il m'arrive d'aller au collège…

— Bravo !

— Ne tombez pas dans le piège, ironisa la dentiste. C'est le quatre-vingt-dix-huitième selfie de la matinée. À sa naissance, on aurait pu l'appeler Narcisse au lieu de Chloé.

L'ado s'interrompit dans ses travaux photographiques pour lui lancer une prunelle excédée.

— Tu ne vas pas recommencer. C'est pour les copines. Je ne vais pas leur envoyer des cartes postales.

Cathy avala le fond d'une petite bouteille d'eau tiède et inspecta sa fille d'un œil attendri. Elle l'aimait plus que tout au monde. Chloé était intelligente, équilibrée, elle cartonnait au collège, mais souffrait, selon elle, d'une tare indélébile : elle vivait nuit et jour avec son portable. Même en voyage. Depuis leur arrivée à Florence, c'était tout juste si

Chloé avait levé le bout du nez de son maudit écran. Le Ponte Vecchio, le campanile de Giotto, la cathédrale avaient récolté au mieux des regards blasés. Pour Cathy, le constat était d'autant plus humiliant qu'elle gardait un souvenir enchanteur d'un voyage de jeunesse en compagnie de ses parents. Pourquoi son père et sa mère avaient-ils réussi à lui transmettre l'amour de l'art et des voyages culturels ? Et pas elle avec sa fille ?

Et ce n'était pas le père de Chloé qui l'aiderait dans cette tâche. Depuis qu'ils avaient divorcé trois ans plus tôt, le géniteur excellait dans l'art de la garde alternée en mode démagogique et veillait à ne jamais rien lui imposer. D'ailleurs, lui-même n'avait aucun goût pour l'art, à part celui de fabriquer de magnifiques prothèses dentaires.

— Les voyages forment la jeunesse. Tu parles, soliloqua Cathy.

Alors qu'elle jetait sa bouteille d'eau dans une poubelle, elle croisa le regard insistant d'une jeune femme qui se tenait à quelques mètres d'eux, devant la statue d'un des deux lions de la famille Médicis. Elle devait avoir une vingtaine d'années, vêtue d'une robe noire un peu trop longue pour la température florentine. Elle avait un curieux visage, fin, presque émacié, avec des yeux étirés, encadré par des cheveux aussi sombres que sa robe. Voyant qu'elle était observée, la fille détourna les yeux et s'éloigna pour se perdre dans la foule.

— *Signora* Egletierre, il faut y aller, les billets ne sont valables que pour cette tranche horaire, dit Giovanni qui consultait sa montre en argent, trop grosse pour son poignet. Votre fille n'aura plus de batterie pour écouter les commentaires de l'audio-guide.

— Ça marche. Par moments, j'ai envie de lui arracher son portable et de le piétiner avec sa paire de talons aiguilles restée dans sa valise.

— Essaye un peu, glapit la fille. Priver une ado de son téléphone, c'est de la cruauté mentale ! Ça se plaide devant un tribunal pour mineurs.

— Barbie !

— Maillot jaune !

L'Italien leva les mains.

— Cessez le feu, *signorinas* ! On se retrouve dans une heure et demie devant la sortie.

— Bienvenue en enfer, marmonna l'adolescente, qui avait interrompu sa séance photo.

Elle affichait un visage sombre. Giovanni écarta grands les bras.

— Ah, jeune fille, les Offices, ce n'est pas l'enfer, mais le paradis. Ouvrez vos yeux et vos oreilles, vous découvrirez des merveilles. Botticelli, Da Vinci, Canaletto, Giotto, Il Caravaggio… Ils sont tous là et…

La brune ne l'écoutait plus. Elle brandissait de nouveau son smartphone devant elle. Son visage se métamorphosa instantanément. L'ado arbora un sourire radieux, comme si elle venait d'apprendre sa sélection à la finale de « The Voice ».

— J'ai déjà 100 likes !

La mère intercepta le regard du guide et leva les yeux au ciel. Le Florentin lui glissa une œillade complice et battit en retraite en direction du palais Vecchio.

— Ah oui, faites attention aux pickpockets dans le musée, dit-il en se retournant à mi-chemin, on en a signalé. Gardez bien vos sacs fermés.

Il s'éloigna en sifflotant l'air du *Trouvère* de Verdi.

— Quel homme charmant, ce Giovanni, murmura Cathy qui entraînait sa fille par la main vers l'entrée de la galerie des Offices.

— Il est marié, maugréa-t-elle, t'as pas vu la bague horrible à son doigt ?

— Et alors... Ça n'empêche rien.

— Maman, t'as pas de morale.

— Enfin... tu me perces à jour. Pas trop tôt...

Elles tournèrent sur la droite de la Loggia, débouchèrent sur une vaste cour tout en longueur qui abritait les deux ailes d'exposition des Offices et remontèrent une file de touristes qui s'étirait jusqu'à l'entrée du musée.

— De l'avantage des passes VIP... Notre entrée se trouve au bout du bâtiment.

— On est vraiment obligées de s'enfermer dans ce musée ? Il y avait plein de statues sur la place où on était.

— C'étaient des copies. Tu verras, il y en aura de plus belles à l'intérieur.

— Waouh... J'en rêve déjà. Et dire qu'on pourrait être au bord de la piscine...

Ce fut la remarque de trop. Cathy stoppa net et fixa sa fille.

— Ça suffit. J'en ai marre de tes airs de princesse. Tu sais que ce voyage à Florence me tient à cœur et tu fais tout pour me le gâcher. Si c'est comme ça, va m'attendre dans un café sur la place.

Le ton était cassant. Aucun soupçon de langueur florentine.

Chloé blêmit. Elle adorait sa mère, même si ces derniers temps elle la trouvait pénible. L'ado lui prit la main avec douceur.

— Pardon M'man... Je... m'excuse.

— Ben voyons...

— Non, vraiment, je suis désolée. Un câlin ?

Alors que la mère et la fille se serraient dans les bras, à une dizaine de mètres en retrait, la femme à la queue-de-cheval les observait, un portable collé à son oreille. Elle murmura quelques mots en italien, puis hocha longuement la tête. Dès que Cathy et sa fille passèrent le sas de contrôle des entrées, elle leur embraya le pas.

Un écouteur dans l'oreille, les deux Françaises arpentaient le premier étage du musée. Elles longèrent une galerie de style Renaissance, remplie de bustes et qui bordait la cour principale. Une lumière douce tombait par intervalles réguliers des grandes fenêtres ouvragées. Cathy arrêta l'audioguide et prit son plan.

— Voyons... Botticelli... c'est par là. Mieux vaut couper par les salles rouges, on gagnera du temps.

— Si tu le dis.

Elles passèrent devant un gros type chauve qui s'ennuyait avec ostentation sur une chaise. Il leva les yeux vers les deux femmes pour les détailler sans vergogne.

— Le gardien, il nous regarde bizarrement, chuchota Chloé à l'oreille de sa mère.

— Tu te fais des idées.

— Non, je t'assure, il arrête pas de nous mater.

Le surveillant détourna alors le regard et s'intéressa à un petit groupe de Japonais.

— Tu vois, il ne fait que son métier. Et moi qui croyais que la parano c'était un truc de vieux, murmura Cathy à sa fille.

La jeune fille haussa les épaules.

— Trente ans que je n'avais pas mis les pieds ici, continua Cathy. Je peux t'avouer qu'au début tes grands-parents m'avaient presque traînée de force.

— Qu'est-ce qui t'a fait changer d'avis ?

— Un tableau précis. *La Naissance de Vénus* de Botticelli. Le choc. Ne me demande pas pourquoi.

— Et tu aimerais que j'éprouve la même émotion… Mauvais plan, Maman.

Cathy sourit.

— On ne sait jamais et…

Elle ne put finir sa phrase. Une femme en robe noire bouscula sans ménagement Chloé. Son sac imitation Gucci acheté au marché près de la gare tomba à terre.

— Dites donc, vous pourriez faire attention ! lança l'ado en se baissant pour le ramasser.

— *Scusi*, marmonna la femme à la queue-de-cheval d'un air méprisant.

Elle s'éloigna sans se retourner.

— Eh bien… L'amabilité italienne est une légende.

Le gardien de la salle s'était levé pour venir les aider.

Cathy s'interposa tandis que Chloé ramassait ses affaires à la vitesse de l'éclair.

— *Grazie*… Ce n'est pas la peine, dit la mère avec un sourire contrit.

Le chauve inclina la tête et retourna à son poste d'observation.

— Je suis sûre qu'ils sont de mèche ! jeta Chloé qui s'était relevée, le visage rouge, une main tenant son sac plaqué contre son ventre, l'autre serrant le portable comme si ses doigts étaient soudés à la coque.

— De mèche pour quoi ?

— Les pickpockets dont a parlé le guide. Vérifie ton sac, on ne sait jamais.

— Un gardien complice ? Tu serais pas devenue un peu parano, décidément ?

— On voit que tu regardes pas assez de séries sur Netflix. Tout est possible.

— Bon, on continue la visite ?

Les deux Françaises traversèrent la galerie Da Vinci remplie d'œuvres d'inspiration religieuse. Cathy pressa le pas, elle ne goûtait guère ces christs tourmentés et ces Vierges éthérées, excepté le tableau représentant l'adoration des mages. De temps à autre, elle glissait un œil à la dérobade vers sa fille pour vérifier son intérêt artistique. Écouteur à l'oreille, l'ado tournait la tête de droite à gauche et semblait s'intéresser à ce qu'elle voyait. Pour la première fois, Cathy éprouva un sentiment qui ressemblait à de la satisfaction.

Elles passèrent rapidement dans la partie du musée dédiée au Caravage. Les hauts murs nappés de rouge enveloppaient des lourds tableaux aux cadres dorés. Les fins projecteurs liquéfiaient par endroits le carmin en écarlate pour rehausser l'éclat des toiles du turbulent maître milanais.

Quelques visiteurs étaient attroupés autour d'une vitrine sécurisée où flottait un bouclier rond et massif. En son centre jaillissait le visage torturé d'une femme dont les cheveux étaient représentés par des serpents entremêlés. Ses yeux étaient de braise, sa bouche en forme de caverne béante, son cou tranché presque au ras du menton laissait dégouliner des filets de sang d'un réalisme stupéfiant.

— *Méduse*, murmura Cathy. Cette œuvre m'avait tellement impressionnée, à l'époque. On dit que ce serait Le Caravage lui-même qui se serait représenté sous les traits de la Gorgone.

Il n'y eut pas de réponse.

Cathy tourna la tête vers sa fille.

La brunette se fichait de la Gorgone, elle avait le nez plongé dans son écran. Un écran qui affichait une silhouette en combinaison aussi rouge que les murs, un masque caricatural de Dalí sur le visage, un pistolet mitrailleur à la main.

— *La Casa de Papel...* Ici, au musée des Offices. C'est pas vrai !

Sa fille rougit.

— Euh, désolée, j'ai fait une mauvaise manip.

— Ne te moque pas de moi.

Un voile de tristesse s'afficha de nouveau sur son visage. Sa fille s'en aperçut.

— C'était un peu ennuyeux tous ces tableaux...

La mère leva la main.

— Stop. La coupe est pleine, j'abdique. Je vais continuer de mon côté. Fais ce que tu veux, on se retrouve dehors dans une heure.

Chloé agrippa le coude de sa mère.

— Maman ! Regarde, il y a un truc chelou sur mon téléphone.

— Tu m'ennuies. Je ne vais pas perdre mon temps avec tes séries alors que j'ai des toiles de maître sous les yeux.

L'ado fulminait.

— À tous les coups, c'est l'appli du musée qui déconne. J'aurais jamais dû t'écouter.

Le visage de Méduse venait de s'afficher sur l'écran. Cathy soupira.

— C'est normal, l'audioguide te montre les...

— Non, regarde ses... cheveux.

Sur la tête de Méduse, les serpents se tortillaient dans tous les sens.

— Sûrement un effet pour captiver l'attention des ados qui ne s'intéressent pas à l'art.

— Maman ! glapit Chloé en brandissant le téléphone sous son nez.

Méduse avait disparu pour être remplacée par la photographie d'une très vieille femme. Les cheveux blancs et filasse, la peau crevassée, les joues creusées, elle tournait son visage de trois quarts et plissait ses lèvres filiformes comme si elle prenait la pose.

Cathy fronça les sourcils. Le visage lui était familier, mais elle n'arrivait pas à l'identifier.

— Tu as des amies de quatre-vingt-dix ans ? C'est qui ? Une nouvelle influenceuse d'Instagram ?

— Je... Je... sais ce que c'est.

Chloé avait pâli.

— C'est moi avec un filtre qui vieillit.

— Impressionnant, on dirait une sorcière. Cette appli du musée est vraiment géniale : elle révèle la véritable nature des gens.

— T'es pas drôle.

L'image disparut, puis l'écran devint noir.

— J'aime pas ça du tout, grommela Chloé qui tapotait désespérément sur son smartphone.

Cathy la prit par l'épaule et l'éloigna du tableau pour se glisser devant l'une des fenêtres de la salle.

— Ça y est, ça redémarre, dit Chloé, soulagée.

— Super, merci de me laisser continuer ma visite.

— Attends ! Je me suis fait pirater.

Un nouveau visage apparut à l'écran. Ce n'était ni celui de la Gorgone ni celui de Chloé au bout de sa vie, mais celui d'une femme au regard tout aussi sombre.

— Je la reconnais. C'est la fille qui a fait tomber mon sac tout à l'heure.

Chloé appuyait sur toutes les touches, mais l'écran restait figé.

— Cette salope m'a hackée ! Vérifie le tien, Maman.

Cathy plongea la main dans son sac et extirpa le portable. Le même visage apparaissait.

— Eh merde. Moi aussi.

— Il faut aller voir les flics, répliqua l'ado.

— Mauvaise idée, je ne vous le conseille pas. Sinon Méduse vous foudroiera en un éclair.

Cathy et Chloé se retournèrent en même temps. La jeune femme en robe noire apparut devant elles, comme si elle était sortie du téléphone par enchantement. Ou maléfice. Figée telle une statue, le regard aussi ténébreux que celui de la Gorgone. Le contraste avec l'écarlate des murs était saisissant, on aurait dit qu'elle faisait partie du décor.

— J'ai pris le contrôle de vos téléphones quand je vous ai bousculées, dit-elle dans un français fortement teinté d'italien.

Elle brandit un petit boîtier blanc de la taille d'un paquet de cigarettes.

— Hacker Bluetooth portatif de dernière génération. Il suffit de s'approcher à moins d'un mètre de distance d'un téléphone ou d'un ordinateur pour avoir accès à toutes les informations contenues dans leurs mémoires.

Cathy pressa sa fille contre elle.

— Je vais appeler les gardiens.

— Deuxième mauvaise idée. Un ami nous observe, si vous tentez quoi que ce soit, il active le plan A.

— C'est quoi, le plan A ?

— Pour vous, madame, il enverra à tous vos contacts, depuis votre téléphone, des messages d'insultes et des photos embarrassantes… Ensuite, il changera les mots de passe. Messagerie, organismes officiels, etc. Je vous laisse imaginer la suite.

Chloé la foudroya du regard.

— C'est horrible !

La femme à la queue-de-cheval haussa les épaules.

— Quant à toi, on a l'habitude des portables des gamines de ton âge, il balancera à tes copines toutes tes conversations privées. Puis il inondera Instagram et Snapchat de photos de toi vieille ou enlaidie. Ton e-réputation deviendra aussi radioactive que des champignons de Tchernobyl.

L'ado pâlissait.

— Vous n'avez pas le droit.

— Et si… De nos jours, on ne fait plus les poches des touristes, on leur fait le téléphone. Passons aux choses sérieuses. Voulez-vous que nous passions plutôt au plan B ?

La mère et sa fille étaient tétanisées. L'Italienne continua en jetant des coups d'œil furtifs aux autres touristes qui arpentaient la salle. Son ton devint menaçant :

— Je n'ai pas entendu votre réponse.

— Je… vous écoute, répondit Cathy d'une voix blanche.

— On sort tranquillement du musée pour rejoindre le distributeur de billets situé sur la rue Sforza à quelques pas de la piazza della Signoria. Là, vous retirez le maximum autorisé : 2 000 euros. Et je disparais de vos vies.

— Et nos téléphones ? Vous continuerez à les pirater !

— Non, je m'y engage. Durant votre séjour, je vous déconseille d'appeler la police ou de vous rendre dans un commissariat, nous garderons un œil sur vos déplacements *via* le GPS de vos appareils.

— Qu'est-ce qui me prouve que vous nous laisserez tranquilles ?

— Rien. Maintenant, voilà ce que nous allons faire : vous patientez ici deux-trois minutes. On ne doit pas nous voir sortir ensemble et vous me rejoignez ensuite devant le distributeur. Tapez l'itinéraire sur vos portables pour retrouver la rue.

— Oui...

— Et, bien sûr, la plus totale discrétion avec votre guide. *Hai capito ?*

Satisfaite, la jeune femme tourna les talons et disparut dans la salle voisine.

— Ça craint... murmura l'ado qui avait les larmes aux yeux.

Elle contemplait son portable comme si c'était un crotale.

— Rassure-toi, ma chérie, ça va aller. Je vais payer.

— Non ! Comment veux-tu que ça aille ! Tu te rends pas compte... Tu te fais voler, et moi, on va me pourrir la vie. Je vais me ridiculiser auprès de mes amis s'ils balancent certains textos. Je parle même pas des photos.

Une gardienne assise contre un mur les observait d'un œil torve. Visiblement, tout s'était déroulé trop vite pour qu'elle se soit aperçue du braquage 2.0.

Cathy consulta sa montre.

— On n'a pas d'autres choix. Il faut la rejoindre.
Sois courageuse, mon poussin.

Elles mirent moins d'un quart d'heure pour parcourir le chemin inverse, sortir du musée et se rendre
dans la rue Sforza. L'artère était peu fréquentée,
à l'écart du passage des groupes de touristes, le
distributeur était coincé entre un supermarché de
quartier et un magasin de chaussures. À leur grande
surprise, la femme à la queue-de-cheval n'était pas
seule. À ses côtés, il y avait un homme du même âge
au look de hipster, barbe rousse taillée au cordeau,
portant un T-shirt *Fuck iPhone*. Ils se tenaient à une
distance respectable de l'automate. Pour ne pas être
repérés par la caméra de l'appareil, songea Cathy.
La jeune femme lui fit un petit signe de la tête.

La Française inséra sa carte bancaire et tapota sur
l'écran, pendant que sa fille s'adossait à un mur, le
regard venimeux. Cathy extirpa les billets, reprit sa
carte et s'avança vers le couple.

— Tenez.

La femme compta les billets puis tendit la main.

— Votre carte.

— Quoi ? Mais vous m'aviez dit que…

— On a quelques petits achats à faire sur le Net.
Dépêchez-vous, sinon on commencera par votre
fille.

— Ça suffit ! Maman, ne leur donne plus rien.

L'ado s'avança vers eux, le visage crispé de colère.

— On se rebelle ? ironisa la voleuse. Comme c'est
touchant. Bon, on n'a plus de temps à perdre.

— Connards, je vais hurler. Il y a des policiers
dans la rue à côté.

— Chloé, non ! s'interposa sa mère.

— Tu vois pas qu'ils veulent nous humilier ? répliqua l'ado. Ils vont continuer à nous faire chanter, même quand on sera en France. J'ai vu ça dans une série. Le seul moyen pour les arrêter, c'est de les stopper dès le début.

— On n'est pas dans une série, petite imbécile ! gronda la brune. Pour la dernière fois : la carte, sinon, je te jure que…

Au moment où elle terminait sa phrase, un homme au visage familier apparut au coin de la rue.

— Giovanni ! hurla Chloé qui faisait des grands signes. À l'aide !

Les voleurs échangèrent des regards rapides. Ils semblaient hésiter sur la conduite à tenir. Le représentant de l'agence se mit à courir dans leur direction. Le hipster secoua la tête, prit sa compagne par le bras. La fille cracha un juron en direction de l'ado, puis ils détalèrent à la vitesse de l'éclair.

Cathy serra sa fille contre elle. L'ado avait le cœur battant.

— Je suis fière de toi. Je ne te savais pas si courageuse.

— Moi non plus, je te rassure.

— Mais tes photos, tes textos…

— Je m'en fous. J'expliquerai à mes amies. Si ce sont des vraies copines, elles comprendront. Et sinon… j'en trouverai d'autres.

Le guide arriva à leur niveau, légèrement essoufflé.

— Vous avez eu des problèmes ?

Chloé serrait toujours sa mère.

— Ils ont voulu voler la carte bancaire de ma mère. Heureusement que vous êtes intervenu.

— Vous voulez qu'on aille déposer plainte ?

— Non, ils ne m'ont rien pris, mentit Cathy. Chloé est modeste, elle leur a fait peur.

— Coup de chance pour vous. J'étais venu vous attendre plus tôt dans un café sur la place. Je vous ai vues filer comme si vous aviez le diable à vos trousses.

Cathy jeta un regard à sa fille.

— Méduse plutôt…

Deux jours plus tard

Il était 11 heures du matin à la montre de Cathy. Le dôme de la cathédrale ne rougeoyait pas, les toits de la ville se détrempaient d'une pluie tombée depuis le début de la matinée. Cathy entra dans le café Il Maschera et laissa son parapluie devant la vitrine. La salle était à moitié pleine, essentiellement des Florentins, les touristes venaient rarement dans ce quartier populaire de la ville. De délicieuses senteurs d'huile d'olive, de pain chaud et de légumes mijotés imprégnaient les lieux. Aux murs étaient accrochées des affiches de vieux films italiens qu'elle reconnut avec nostalgie. *Il Bidone*, *Fellini Roma*, *La Dolce Vita*…

Elle repéra tout de suite Giovanni attablé devant une petite table ronde près du comptoir. Il sirotait tranquillement un chocolat chaud. Le guide était vraiment à son goût.

L'homme se leva quand il la vit arriver et lui offrit son plus beau sourire.

— Ah, *signora* Egletierre. *Come stai ?*

— À merveille, dit-elle en s'asseyant à ses côtés. Je tenais à vous remercier de vive voix avant de partir.

L'Italien inclina la tête.

— Comment va votre fille ?

— Bien, ma puce fait la grasse matinée pour se remettre de son aventure.

— Elle a eu une réaction admirable devant le distributeur. Elle vous a protégée. Ça arrive souvent dans nos mises en scène.

— En tout cas, elle n'a pas touché à son portable depuis l'incident du musée. Pas un texto, pas un selfie. Rien. Le smartphone est resté enfermé dans un tiroir pendant deux jours. Un miracle.

Il sourit de nouveau.

— Je laisse les miracles à l'Église. Elle en a bien besoin, en ce moment. Vous prenez quoi ?

— Comme vous.

Le guide fit un signe à la serveuse en lui montrant son bol. Cathy se pencha vers lui.

— J'ai une question.

— Je vous en prie.

— Vos... collègues. Ils étaient plus vrais que nature. Surtout la fille. Vous leur faites passer des auditions avant de les recruter ?

— Ça dépend. Avant tout, il faut qu'ils parlent la langue de nos clients. Pour le français, l'anglais ou l'allemand, ça va, mais j'ai un mal fou à trouver des employés qui maîtrisent le russe ou le suédois.

— Votre business est en pleine expansion...

— Oh, oui. L'épidémie s'est généralisée dans le monde entier. Des centaines de millions de gamins sont devenus accros aux smartphones. On appelle ça la Nomophobie[1]. Moi, j'ai inventé le terme

---

1. Nomophobie : contraction de *No mobile phone phobia*, peur de ne plus avoir son smartphone. Le terme a été élu mot de l'année 2018 par le comité éditorial du *Cambridge Dictionnary*. Ce qui nous a donné l'idée de cette nouvelle. *(N.des.A.)*

Drugsmart. Ils sont tous drogués à leurs téléphones comme des consommateurs de coke. Les parents ne savent plus quoi faire. Les études scientifiques sur l'explosion des addictions chez les jeunes ne cessent de tomber. Un fonds d'investissement va prendre des parts dans notre société pour qu'on puisse se développer en Europe.

— Et pas de soucis avec les autorités ?

— C'est comme un jeu de rôle grandeur nature. À partir du moment où les parents sont complices, nous ne risquons rien.

— Vous avez vraiment trouvé un concept génialissime, même si ce n'est pas donné.

— Les 2 000 euros que vous avez tirés au distributeur seront déduits de la facture globale.

— J'espère vraiment que son aversion pour les smartphones sera durable.

La serveuse déposa devant Cathy un bol de chocolat avec un assortiment de madeleines. Giovanni sortit une fine sacoche en cuir orangé de sous la table et en retira une clé USB qu'il tendit à sa cliente.

— Vous avez ici la suite du traitement. L'idée n'est pas qu'elle ne se serve plus de son téléphone, mais qu'elle en fasse un usage modéré. Si vous voyez des signaux d'alerte, vous avez la liste sur cette clé, contactez notre site : ils pirateront de nouveau son portable. Surtout en cas de récidive selfique trop prononcée. Ils modifieront systématiquement ses photos. Nous avons une nouvelle appli « boutons purulents et scarifications sanglantes » inspirée de *The Walking Dead*. Une véritable horreur.

— Merveilleux... Enfin, presque. J'ai quand même honte de manipuler ma propre fille.

— Une guerre est juste quand elle est nécessaire. Ainsi parlait Machiavel...

Cathy avala son bol de chocolat presque d'un trait.

— Je peux me permettre un conseil, mon cher Giovanni ?

— Avec plaisir.

— Changez le nom de votre boîte. Mondo Blu, c'est pas très imaginatif.

— C'est une allusion aux écrans des ordinateurs et des téléphones qui déversent leur saloperie de lumière bleue.

— Appelez-la plutôt Medusa.

— Pourquoi ?

Elle le fixa avec amusement.

— Méduse foudroie du regard ceux qui la contemplent. Comme un smartphone.

Karine GIEBEL

Les Hommes du soir

Peu importe d'où je viens.

Peu importe où j'allais.

Peu importe mon nom. Qui s'en souviendra ? Moi-même, je ne suis pas loin de l'oublier.

Mon voyage est sur le point de s'achever. Il a duré si longtemps…

Tout a commencé il y a trois ans. J'avais douze ans, je n'étais pas heureux, pas malheureux non plus. Je vivais, simplement. Au milieu des miens, au cœur de ce village qui m'avait vu naître et aurait dû me voir mourir. Mon seul horizon, ma planète. Mes racines.

J'avais des parents, j'avais des frères et une sœur. Un avenir tracé, ni glorieux ni honteux. Cultiver le maïs et le manioc, épouser une femme et avoir des enfants qui, à leur tour, cultiveraient le maïs et le manioc.

Et puis ils sont venus. À la fin de la journée, n'attendant même pas que la nuit dissimule leurs crimes.

Ceux qui n'étaient pas de notre ethnie avaient quitté le village la veille. On les avait prévenus, mais ils ne nous ont pas mis en garde. Alors que nous vivions côte à côte depuis des générations. Alors que nous n'étions pas leurs ennemis.

Les hommes du soir ont tué tout le monde, incendié chaque maison.

Certains ont brûlé vifs, d'autres ont succombé aux machettes, aux haches, aux balles des fusils. Moi, je me suis évanoui un moment, mais le massacre continuait lorsque je suis revenu à moi. Alors, j'ai fait comme si j'étais mort.

Je l'étais, de toute façon.

Mes frères, mes parents, ma grande sœur… Mon Dieu, ce qu'ils ont fait à ma grande sœur… Quand on voit ça, on n'a plus d'âme, on n'a plus rien. Quand on voit des hommes commettre pareille monstruosité, on cesse d'espérer et de croire.

Ils ne m'ont pas épargné, juste oublié dans un coin. Comme je baignais dans une mare de sang, que j'en avais partout sur le visage et le corps, ils ont cru que j'avais rendu mon dernier souffle.

Mais non. J'ai tout vu, tout entendu.

Je suis resté longtemps par terre, au milieu des flammes et des corps mutilés. Au milieu des odeurs étranges et des ultimes gémissements. Longtemps, à attendre la mort. Qui n'a pas voulu de moi. Certains diront que j'ai eu de la chance. C'est parce qu'ils ne savent pas de quoi l'homme est capable.

Moi, maintenant, je le sais. Et je dois vivre avec.

Aux premières lueurs de l'aube, je me suis relevé et j'ai regardé autour de moi. J'ai trouvé un vieux T-shirt que j'ai enroulé autour de ma blessure. Et puis j'ai quitté la maison et erré lentement en plein carnage.

Des yeux et des ventres ouverts, des bras coupés. Des mains tendues vers le néant.

Des hommes, des femmes, des enfants, des vieillards. Les animaux, aussi. Ceux qu'on élevait avec soin. C'est tellement important, les animaux. Les hommes ne peuvent pas vivre sans eux. Alors que l'inverse est possible, je crois.

Parfois, je reconnaissais un visage. Un voisin, un copain d'école, une cousine. Le vieux sorcier qui parlait tout seul et qui était mort sur sa chaise. Parfois, un corps supplicié par les hommes du soir puis par les flammes, qui n'avait plus rien d'humain. Devenu une chose monstrueuse, fruit de l'imagination d'un démon. Ça m'a rappelé ces personnages bizarres et difformes, que le sculpteur du village taillait dans le bois. Mais c'était moins joli.

J'étais comme anesthésié, assommé. Hébété.

J'avais mal. Tellement mal.

Je suis retourné dans notre maison en me disant que Dieu n'avait pas pu permettre cela. Que je traversais un cauchemar et que Maman allait me réveiller en se moquant de moi. Mais Maman, elle était allongée sur le ventre, sa robe remontée jusqu'à la taille. Son beau visage était tourné sur le côté, en direction de mes frères. La moitié de son corps avait brûlé, seulement la moitié, c'est comme ça que je l'ai reconnue. Dans un coffre miraculeusement intact, j'ai récupéré les nattes qu'elle tissait et j'ai recouvert toute la famille avec.

C'est à ce moment-là que je me suis enfui. Je me suis mis à courir, pendant des heures.

J'ai couru si longtemps que le soleil a atteint le zénith. Je n'avais plus de souffle, ma blessure me faisait atrocement souffrir, alors je me suis arrêté.

Plusieurs jours durant, je me suis caché près d'un arbre. Terré comme un animal, sous un ciel écarlate, je regardais passer mes peurs.

J'aurais dû les enterrer. Au moins ceux de ma famille. Parce qu'ensevelir tout le monde, je n'aurais pas pu. Surtout avec ce que les hommes du soir m'avaient fait.

J'aurais dû les enterrer... Je me répétais cela en boucle.

Puis j'ai marché, de nouveau, poussé par la faim. Comment pouvais-je encore avoir faim ? Comment le soleil pouvait-il se lever, se coucher ? Les oiseaux chanter ?

Par hasard, j'ai rejoint un cortège de gens de mon ethnie qui fuyaient vers le pays voisin. Sur leurs échines fatiguées, quelques provisions, quelques objets. Dans les bras des mères, des enfants apeurés.

J'ai marché avec eux. Une vieille femme m'a soigné en disant que je survivrai. Dommage.

Quand on a passé la frontière, on nous a parqués dans un camp. Des tentes, un repas tous les jours, même s'il fallait se montrer patient pour l'obtenir. Des heures debout, dans la file des réfugiés. Un nouveau mot dans mon vocabulaire. C'est ce que j'étais, désormais.

Un réfugié.

Des vaccins, des médicaments, des vêtements, de l'eau potable. Ils ont même désinfecté les semelles de nos chaussures. Il paraît que c'est pour éviter le choléra. Encore un nouveau mot...

On nous a bien accueillis dans ce pays dont on m'avait parlé, mais dont j'ignorais tout ou presque. Ils étaient pauvres, comme nous, mais ne nous ont pas jetés dehors. Alors qu'à l'époque, j'avais déjà entendu dire que, parfois, dans les pays où les gens sont riches, ils jettent les pauvres dehors, les renvoient chez eux. Ce n'était pas le premier paradoxe que je rencontrais et, surtout, ce ne serait pas le dernier... À l'école, le maître nous avait dit que notre pays était l'un des plus grands de la planète et quasiment le plus vaste d'Afrique. Que notre sous-sol regorgeait de choses précieuses dont le monde entier avait besoin. Que nous avions d'immenses forêts, de beaux lacs, et même des volcans ! Mais personne, pas même le maître, n'avait pu répondre à ma question pourtant simple. Si nous possédons tout cela, pourquoi sommes-nous si pauvres ?

Dans le camp de réfugiés, nous étions nombreux. J'étais seul au monde. Je regardais, j'écoutais, je sentais. J'ai compris que notre village n'était pas une exception. D'autres avaient vu ce que j'avais vu, enduré ce que j'avais enduré. Certains avaient réussi à s'enfuir avant l'arrivée des hommes du soir. Quelquefois en découvrant simplement une marque sur leur porte. Mauvais présage.

Je marchais beaucoup, traînant ma peur derrière moi, comme un fardeau. La mélangeant à celle des autres.

Heureusement, Anne est arrivée. Venue de loin, juste pour nous aider. Elle faisait partie d'une ONG portant secours aux réfugiés. Elle était belle, dedans comme dehors. Elle m'a remarqué tout de suite. Au début, quand elle s'adressait à moi, je ne répondais pas. J'avais oublié les mots. Ils étaient là, quelque part dans ma tête, mais refusaient de franchir mes lèvres.

Quand on voit ça... on perd aussi la parole.

Chaque jour, elle me parlait doucement, me souriait gentiment. Avec la patience d'un ange, elle a éloigné mes peurs. Elles n'étaient jamais très loin, non. Rôdant autour de moi dès que le soir arrivait, tels des prédateurs affamés. Elle voulait que je lui raconte comment j'étais arrivé là, si j'avais de la famille quelque part.

Pourquoi je n'avais plus de main gauche.

Un matin, enfin, je lui ai raconté. J'ai tout dit. Même ce qu'ils avaient fait à Divine, ma grande sœur. Elle était mariée et enceinte. Avec son mari, ils vivaient dans notre petite maison, n'ayant pas l'argent pour en faire construire une. Pendant des mois, j'avais regardé grossir son ventre avec une drôle de curiosité. Elle m'autorisait même à le toucher, parfois !

Les hommes du soir l'ont plaquée au sol. Ils ont arraché de ses entrailles l'enfant qu'elle attendait. Ils l'ont écrasé avec leurs pieds avant d'achever sa mère. Quand j'ai raconté ça à Anne, elle est devenue encore plus blanche que d'habitude. Puis elle s'est mise à pleurer.

Pas moi.

Elle m'a pris dans ses bras, m'a serré contre son cœur. L'entendre pleurer m'a fait du bien. Ses larmes ont remplacé les miennes.

Mais Anne est partie, envoyée dans un autre camp. C'est quand elle m'a dit adieu que j'ai de nouveau pleuré, à l'abri des regards. J'avais treize ans, je n'avais plus personne. Je traînais dans le camp, entre désœuvrement et écœurement. Ma peine me suivait partout, petit chien fidèle.

Et puis j'ai rencontré Capitaine et Christ.

Capitaine avait mon âge, Christ avait deux ans de plus que nous. Il était grand et fort, nous dominant de deux têtes au moins. Capitaine avait le visage balafré et n'y voyait plus que d'un œil. Sa main droite n'avait plus de doigts à l'exception du pouce. Il l'avait retirée à temps, l'homme à la machette avait raté son coup et n'avait pu couper que ses quatre doigts avant que Capitaine lui échappe.

Quand il racontait cette histoire, il se marrait. Alors, on se marrait aussi.

Ces deux-là ont vite trompé ma solitude. Ils sont devenus mes amis, mon quotidien, ma vie. Mes frères de sang. J'ai réappris à rire. Avec eux, on rigolait tout le temps. De tout, de rien. On se moquait des autres pour oublier notre propre condition. On faisait tout ensemble. Les bonnes et les mauvaises actions. Comme moi, Capitaine avait perdu les siens. Quant à Christ, toute sa famille était dans le camp. Pourtant, il voulait la quitter. Au début, je n'ai pas compris. Quelle drôle d'idée… Mais plus tard, j'ai réalisé qu'il voulait fuir ces murs et ces grilles qui se dressaient entre nous et la vie.

Devenir un homme, atteindre l'horizon.

Christ avait un cousin qui avait réussi à rejoindre la France. Et même s'il n'avait plus jamais donné de nouvelles, Christ voulait y aller aussi. Il nous parlait de cette contrée comme d'un paradis sur terre.

Plus de manioc, plus de maïs, plus de nattes tressées. Plus d'hommes du soir.

Des magasins partout pour acheter ce qu'on veut, quand on veut. Un monde où on rit, où on boit, où on s'amuse. On en rêvait la nuit, on en rêvait le jour. Christ possédait même un livre sur cet endroit idyllique et nous montrait les images, incroyables, de ce pays quatre fois plus petit que le nôtre, mais qui nous semblait immense.

Immense et riche.

Restait un problème majeur : comment atteindre cet eldorado ?

Christ avait la solution. Il nous a alors parlé d'un autre pays, beaucoup moins idyllique, mais où il y avait du travail pour tout le monde, surtout pour les hommes jeunes tels que nous. Nous pourrions aller là-bas, y rester quelque temps pour gagner l'argent qui nous ouvrirait la voie vers l'Europe.

Ce pays, c'était la Libye.

J'ai hésité, mais Christ, c'était notre héros. Une sorte de mentor. Le père que je n'avais plus. Alors, j'ai décidé de le suivre. Capitaine aussi.

Pour aller en Libye, il suffisait de traverser le désert. Et pour traverser le désert, il fallait de l'argent. Je n'en avais pas.

Pendant des semaines, tout faire pour en trouver. Récupérer ce qui est récupérable et le vendre. Ou l'échanger contre quelque chose qui se vend. Nous avons même vendu la nourriture qu'on nous offrait.

J'ai écrit à Anne, seulement quelques mots sur un vieux morceau de papier. En retour, elle m'a envoyé de l'argent. Un ange, je vous dis…

Au bout de trois mois, Christ nous a annoncé avoir rencontré quelqu'un prêt à nous conduire jusqu'en Libye. Une nuit, nous avons embarqué dans un pick-up. À l'arrière de cette vieille voiture, nous étions au moins vingt, recroquevillés les uns contre les autres. Dix litres d'eau chacun, pas plus. Pour des jours et des jours de piste cahoteuse. Des kilomètres et des kilomètres de sable, de cailloux, de danger.

Le troisième jour, un homme s'est levé, car il souffrait de crampes. Il est tombé du pick-up, là au beau milieu de cet océan de sable brûlant. Le chauffeur ne s'est pas arrêté. C'était la règle. Christ nous avait prévenus.

Si tu tombes, tu crèves. Le désert te mange.

Le naufragé a fait de grands gestes désespérés avant de disparaître, avalé par les dunes et la lumière aveuglante du soleil. Il a quitté la vie, mais pas mon esprit. Il venait de rejoindre la galerie de mes fantômes. Images indélébiles qui gangrènent mon pauvre cerveau. Ça s'imprime quelque part, ça ne vous quitte plus. Plus jamais.

En Libye, nous étions attendus. Mais pas comme nous le pensions.

À peine arrivés, le chauffeur nous a vendus à des hommes armés qui nous ont conduits dans un centre de détention. Une prison aux mains d'une milice de trafiquants. L'endroit le plus terrifiant que j'aie jamais vu. Certains étaient là depuis longtemps, la peau sur les os, bouffés par la gale et les insectes. Il y avait des hommes, des enfants, des vieux. Des femmes, aussi.

Les gardiens nous jetaient quelques morceaux de pain et seuls les plus forts mangeaient. Les autres agonisaient. Ça les faisait marrer.

Ils nous ont interrogés, les uns après les autres. Si tu réponds pas, tu prends des coups. Jusqu'à t'évanouir. Ceux qui ont avoué avoir de la famille au pays ont été torturés par un homme tandis qu'un autre filmait. Le but étant de demander une rançon.

Comme Christ, Capitaine et moi n'avions plus personne, sauf ceux dans les camps de réfugiés, les trafiquants nous ont forcés à travailler. Il paraît que nous remboursions notre dette pour le voyage à travers le désert. Pourtant, on avait déjà donné de l'argent.

Heureusement, ils ne nous ont pas séparés. Nous avons travaillé chaque jour, sur des chantiers ou dans des fermes. Ça a duré presque un an. Trimer, du matin au soir, ne pas manger à sa faim, se prendre des coups pour un oui, pour un non. Tel était notre quotidien. Mais nous n'étions pas à plaindre. Le pire, c'étaient les filles. Je n'aurais pas voulu en être une.

Celles qui étaient jolies servaient aux hommes. Celles qui ne l'étaient pas servaient les hommes.

Dans ce centre, on parlait toutes les langues. Nous étions les seuls de notre pays. Quasiment les seuls à parler français. Mais quand on partage le même malheur, on se comprend d'un simple regard.

Pourquoi avaient-ils échoué là, tous ces gens ? Au fil des jours, j'ai compris qu'ils avaient fui la guerre, les massacres, les exactions, la sécheresse. Ou simplement la misère. Il y avait même des mères qui avaient quitté leur pays avec leurs filles pour qu'elles ne soient pas excisées.

Un jour, j'ai oublié lequel, ils ont reçu beaucoup de migrants. Un gros arrivage, comme ils disaient. Du coup, ils nous ont pris, Capitaine, Christ et moi, ainsi qu'une vingtaine d'autres, pour nous conduire dans une vieille et grande salle à quelques centaines de mètres du centre. Là, ils nous ont vendus. Comme des bêtes ou des objets. Au plus offrant. C'est Christ qui a rapporté le plus. Parce qu'il était grand et très costaud. Capitaine et moi, on valait beaucoup moins. En tant que mutilés, nous étions soldés.

On a eu de la chance, beaucoup de chance. C'est le même homme qui nous a achetés tous les trois, ainsi que deux autres garçons. C'était un riche propriétaire terrien qui cherchait de la main-d'œuvre bon marché pour faire tourner son exploitation agricole. Alors, nous avons travaillé, encore et encore. Nous mangions presque à notre faim et ne prenions que peu de coups.

On était mieux que dans le centre, mais Capitaine est tombé malade. Notre propriétaire n'a pas voulu le faire soigner. Ça aurait coûté trop cher. Chaque jour, mon frère devenait plus faible. Ses yeux brillaient de fièvre, il délirait. Pendant la journée de travail, il perdait souvent connaissance. Et au bout de deux semaines, il ne pouvait plus quitter sa paillasse, n'ayant plus la force de se lever. Christ a supplié notre « patron » de faire quelque chose, de ne pas laisser Capitaine dans cet état.

L'homme a pris son fusil, il a tué Capitaine d'une balle en pleine tête et nous a demandé de l'enterrer. Après ça, Christ a changé. J'ai vu quelque chose germer au fond de ses grands yeux. Un soir, je lui ai dit que nous aurions dû rester dans ce camp de réfugiés plutôt que de venir ici. Il m'a filé un coup de poing. Le lendemain, il s'est excusé et j'ai compris qu'il s'en voulait beaucoup de nous avoir entraînés dans ce piège infernal. Il m'a dit qu'il avait la haine et ne pensait plus qu'à une chose. Une seule.

Venger Capitaine.

Je lui ai répondu qu'il fallait surtout qu'on sorte de là.

De nouveau, j'entendais arriver les hommes du soir. Dans mon sommeil, je voyais leurs ombres menaçantes s'approcher de moi. Plusieurs fois, Christ m'a dit que je hurlais pendant que je dormais.

Ça faisait un an et demi que nous étions coincés en Libye. Et je pensais que nous allions y passer notre vie, tels des esclaves. Mais Christ en a décidé autrement. Une nuit, il a réussi à forcer la porte du réduit dans lequel nous dormions. Avec deux autres garçons, nous nous sommes faufilés à l'extérieur et, sans un bruit, nous sommes rentrés dans la petite cabane où dormait un des chiens de garde du patron. Christ n'a pas hésité un instant. Il avait fabriqué une sorte de couteau et a égorgé le type dans son sommeil. Ensuite, nous avons pénétré dans la maison du propriétaire. Pendant que les autres garçons et moi volions tout ce qui pouvait avoir la moindre valeur, Christ est monté à l'étage.

J'ai entendu l'homme et sa femme qui hurlaient. Quand Christ est redescendu, il avait du sang plein les mains et m'a regardé bizarrement. Ce n'était plus le garçon que j'avais connu.

C'était un assassin.

« Capitaine est vengé », m'a-t-il simplement dit.

Nous avons erré pendant des semaines en essayant de ne pas nous faire capturer par la milice ou les trafiquants. Les deux garçons qui avaient fui avec nous sont sortis en plein jour. On ne les a plus jamais revus. Dieu seul sait ce qu'ils sont devenus.

On a fini par rencontrer un groupe de migrants qui tentaient, comme nous, de fuir ce pays maudit. Ils attendaient des nouvelles d'un passeur qui avait promis de les conduire en Italie. Certains d'entre eux avaient déjà réussi la traversée. Je les écoutais raconter, encore et encore, ce qu'ils avaient vécu. Ceux qui avaient failli se noyer, mais avaient eu la chance d'être repêchés par des secouristes sur un gros bateau, nommé l'*Aquarius*... Ceux qui étaient arrivés par leurs propres moyens à rejoindre la Sicile... Tous avaient été renvoyés en Libye. Retour à la case départ. J'écoutais...

Cette femme, qui disait : « Ils ne voulaient pas de nous là-bas ! »

Et moi, aurais-je voulu d'eux dans mon village ?

Ce jeune homme, des larmes plein les yeux, qui hurlait... « Ils nous répétaient : "Tu dois rentrer chez toi !" »

Rentrer chez moi ? Mais chez moi, ça n'existe plus ! Chez moi... tas de cendres, amas de chairs, mare de sang, fosse commune.

J'ai demandé à Christ pourquoi ces gens-là ne voulaient pas de nous, il a juste haussé les épaules comme s'il n'en savait rien. Je me suis mis à jalouser ceux qui n'avaient pas à fuir. Ceux qui avaient pu pousser sur leurs racines, s'élever sur leurs fondations... Ceux qui avaient un chez-eux.

Malgré tout, nos compagnons d'infortune voulaient de nouveau tenter leur chance. Ils prendraient le premier bateau. Et grâce à l'argent volé chez le patron, Christ et moi allions faire le voyage avec eux, nos rêves moribonds en guise de bouées de sauvetage.

Les jours qui ont précédé notre départ, j'ai pensé sans cesse à ce gros bateau orange qui s'appelle *Aquarius*. J'ai prié, très fort et très longtemps.

*Mon Dieu, je ne sais pas bien nager. Alors si notre embarcation coule, merci de nous envoyer l'*Aquarius. *Amen.*

Il y a deux nuits de cela, nous avons embarqué sur un vieux bateau en bois. Nous étions si nombreux que j'ai cru qu'on ne pourrait jamais faire monter tout le monde. À bord, nous étions comprimés, tels des poissons dans la nasse. Il n'y avait que dix gilets de sauvetage alors que nous étions presque cent sur ce vieux radeau de fortune. Christ a réussi à s'en procurer un et me l'a donné. Je voulais le filer à une petite fille qui semblait terrorisée, mais Christ me l'a interdit. « Tu le mets, un point c'est tout. Si tu le donnes, je te frappe. »

Les mères serraient leurs enfants dans leurs bras, personne ne parlait. La traversée a commencé dans un silence de mort.

Au bout de quelques heures, le moteur a lâché et nous sommes restés au milieu de nulle part pendant un temps qui m'a paru infini. Les bébés hurlaient, et certains, déjà très faibles au moment du départ, ont commencé à perdre connaissance.

Vers midi, enfin, les passeurs ont réussi à faire redémarrer le bateau. Il avançait si doucement que Christ et moi, on s'est demandé si on arriverait en Europe avant de mourir de soif ou de faim. Et puis un vent violent s'est levé, comme si nous n'avions pas déjà assez d'ennuis comme ça... Des vagues immenses ont fait gîter notre embarcation, mais elle a tenu le coup, par miracle.

Alors que la nuit menaçait, un bébé est mort. Son père s'est dressé en hurlant tandis que son épouse restait inerte. Il était devenu fou. Fou de douleur.

Ensuite, tout est allé très vite. Les passeurs lui ont ordonné de se rasseoir, de jeter son fils par-dessus bord.

Ils se sont battus, notre bateau a chaviré.

Beaucoup ont coulé au bout de quelques secondes comme s'ils avaient du plomb aux chevilles. D'autres se sont débattus plusieurs minutes avant de disparaître à leur tour. Certains ont essayé de m'arracher mon gilet de sauvetage. Mais Christ les en a empêchés, les condamnant à une mort certaine.

Il est encore près de moi, mon grand frère. Accroché à un morceau de la carcasse du bateau, il résiste. Mais je sens que ses forces, pourtant phénoménales, s'amenuisent.

Le vent se calme, le jour pointe. Nous avons tenu toute la nuit. Malgré le froid, malgré les vagues.

« Je voulais voir le soleil, me dit Christ. Une dernière fois. »

Il regarde le ciel puis me regarde, moi, avec un sourire triste.

« La mort, c'est pas si grave, petit frère ! me dit-il. Ça arrive à tout le monde ! »

Avec une force incroyable, il serre ma main glacée dans la sienne. Il lâche l'embarcation moribonde et ferme les yeux. Je le vois s'enfoncer lentement dans l'eau noirâtre.

Sans Capitaine et sans Christ, à quoi bon continuer ? Je me débarrasse de mon gilet de sauvetage, il dérive lentement à la surface tandis que j'attends patiemment que cette mer, devenue cimetière, me prenne… Au fond, les hommes du soir m'attendent, j'en suis certain.

J'entends du bruit, des voix. Dans un sursaut, je rouvre les yeux.

Une main qui se tend.

Trop loin.

Plus loin encore, la coque orange d'un énorme bateau sur laquelle est inscrit *Aquarius* en lettres blanches.

Trop tard.

Je coule, lentement, vers l'inconnu. Je croise mes parents, mes frères et ma sœur qui m'encouragent et me sourient. Qui m'entourent de leurs bras protecteurs. J'aperçois Capitaine et Christ qui m'attendent, eux aussi. Même Anne est là. Les hommes du soir, eux, ont disparu...

Peu importe d'où je viens.

Peu importe où j'allais.

Mon voyage vient de s'achever. Il a duré si longtemps...

Philippe JAENADA

Un BriBri à 300 kilomètres/heure

Philippe Jaenada est un écrivain majeur de la littérature contemporaine. Son humour irrésistible et son inimitable autodérision s'entremêlent avec grâce à la puissance de ses livres. Il a publié treize ouvrages et reçu de nombreux prix dont le Prix de Flore pour *Le Chameau sauvage*, le Grand Prix des Lycéennes de *ELLE* pour *Sulak* et le Prix Femina pour *La Serpe*, parus aux Éditions Julliard.

Les voyages m'ont toujours fait peur. (C'est la seule chose qui me fasse peur, dans la vie : si on met de côté les voyages, je suis le colosse, l'inébranlable, cœur d'acier, nerfs de cuir, regard clair et sûr, rien ne m'inquiète.) L'idéal, évidemment, serait de ne jamais sortir, de rester enfermé chez soi, avec à la rigueur quelques prudentes excursions, chaque jour, au bistrot du coin de la rue. Mais le drame, c'est qu'on ne fait pas toujours ce qu'on veut. On est sollicité en permanence, et de tous côtés : par ses parents au loin, par sa propre famille de l'intérieur, femme ou enfant qui n'aiment pas la routine immobile, par ses amis qui ne comprennent pas que la raison l'emporte sur l'envie de les voir, et, le pire de tout, par son travail : « Philippe, vous ne pouvez pas, cette année encore, refuser cette invitation à notre humble petit salon breton, il faut que vous sachiez qu'il y a une vie en dehors du boulevard Saint-Germain » – comme si je m'aventurais jusqu'au boulevard Saint-Germain... Enfin bref, parfois, pour être en accord avec sa conscience profonde et en harmonie avec le monde, on est obligé de partir vers l'inconnu.

J'avais donc accepté de passer un week-end dans un humble petit salon du livre breton (ou plus exactement, car sinon j'y échappais facilement : dans un humble petit salon breton du livre), qui s'était révélé absolument formidable : beaucoup de monde, de bonnes choses à boire et à manger, des auteurs sympathiques et certains de talent, un bar du tonnerre sur le port, une longue soirée joyeuse. Je ne regrettais pas d'être venu, j'en étais le premier surpris. Mais, peu habitué aux déplacements, j'avais un peu vite oublié deux choses : la première, c'est que lorsqu'on est parti, il faut revenir (sinon c'est la déroute) ; la seconde, c'est que revenir, c'est un voyage aussi.

Dans le train du retour, sur la grande ligne de l'Ouest, j'étais assis en seconde classe. Du moment qu'on rentre, peu importent la couleur, la taille et le moelleux du siège, c'est la vitesse qui compte – et jusqu'à preuve du contraire par des analyses scientifiques extrêmement poussées, au chronomètre atomique, la vitesse est la même en première et en seconde classe ; peut-être, on ne sait jamais, à quelques poussières temporelles près, mais personne ne s'en aperçoit donc ça ne compte pas. Le problème, si on cherche la petite bête, c'est que j'étais en Club 4. Déjà, en Duo Côte à Côte, lorsqu'on a une morphologie un peu particulière, tout en force imposante, on a le choix entre déborder honteusement sur la malheureuse personne qui se trouve par poisse à côté de nous et maudit son sort, ne comprenant pas pourquoi elle ne tombe jamais (mais alors jamais) sur une jolie jeune femme évanescente ou un enfant malingre et introverti, ou bien tenter, souvent au prix de fortes douleurs musculaires et osseuses, et de toute façon en vain, de se plier comme un

K-way dans sa poche, mais alors en Club 4, on a tous les inconvénients du Duo Côte à Côte, ajoutés à ceux du Duo Face à Face (qu'on trouve en première classe, je n'ai jamais compris pourquoi – c'est ridicule : « Je préfère n'avoir personne à côté de moi, je n'aime pas la promiscuité, j'ai suffisamment trimé et ramassé d'oseille dans ma vie pour ne pas avoir à subir les odeurs de Tupper et le bruit du papier alu qu'on froisse, ça fait grincer des dents, mais je me sens trop seul si je n'ai pas quelqu'un en face de moi, j'aime observer les visages, à 1 mètre, pendant des heures ») : si on mesure plus de 140 centimètres, on ne sait pas où mettre ses pieds, en plus des coudes. Et on voit les poils qui sortent du nez du type en face, on n'arrive plus à en détacher son regard.

Le principal, pour moi, j'ai un peu honte de l'avouer, était que pas un auteur du salon ne soit à portée de voix ni de regard. J'en connaissais et appréciais certains depuis longtemps, j'en avais rencontré d'autres avec plaisir la veille au soir au comptoir du bar sur le port, plusieurs auraient fait, dans l'absolu, de bons compagnons de chemin de fer (nous étions peut-être vingt-cinq répartis un peu partout dans le train), mais quand on a passé quarante-huit heures à parler sans arrêt, à prendre garde au moindre mot qui sort de notre bouche, au moindre geste qu'accomplit notre corps de manière parfois surprenante, quand on s'est épuisé depuis quarante-huit heures à essayer de se contrôler pour paraître convenable, si ce n'est brillant, on n'a envie que d'une chose : que le monde extérieur nous foute la paix, qu'on puisse fermer les yeux et la bouche si on veut, regarder par la fenêtre, tenter de dormir, lire, n'importe quoi mais sans que ça n'intéresse ni concerne personne. Les trois voyageurs pourtant peu admirables en apparence qui occupaient avec moi le Club 4 avaient une qualité inestimable : je ne les connaissais pas.

À Lamballe, ou à Rennes, je ne sais plus, une gare quelque part dans l'Ouest, je suis sorti fumer une cigarette. Au moment de descendre sur le quai, j'ai eu un mouvement de recul, imperceptible j'espère : face à moi se trouvaient vingt ou trente types monstrueux, immobiles, certains balafrés, d'autres avec des pansements sur la tête, des coquards ou des bosses sur le front, des muscles énormes et des dents cassées. Ils me fixaient. Tous. Après une fraction de seconde de stupeur (je suis l'inébranlable au regard d'acier et au cœur de cuir, ne revenons pas là-dessus, mais les cicatrices, les pansements de fortune, les muscles frémissants, il faut me comprendre), je me suis remis à respirer et suis passé entre eux, altier, superbe (ils ne se sont pas à proprement parler écartés, mais ils ne m'ont pas touché), puis j'ai allumé ma clope dans leur dos d'un air détaché pendant qu'ils montaient, en goguenard troupeau de bêtes, dans le wagon. Ils portaient, tous ou presque, des cartons qui semblaient lourds, et de gros sacs Super U – genre toile cirée, avec des pâquerettes et des agneaux dessus – bien remplis. Je me suis félicité, finalement, que mon Club 4 soit déjà complet. La vieille dame et ses œufs durs, la jeune Asiatique nerveuse avec sa Thermos Hello Kitty et l'informaticien (je crois – genre de la première génération, quinquagénaire), aux épaules couvertes de pellicules, seraient de parfaits voisins, dans la mesure où ils m'éviteraient de me retrouver en face de l'un de ces éclopés patibulaires de la pire espèce, qui aurait tendu ses grosses jambes jusque sous mon siège en me défiant d'un œil mauvais.

Quand le chef de gare a sifflé et que je suis remonté (avec une légère appréhension noueuse nichée en boule sous le sternum), j'ai constaté, en réprimant un petit souffle de soulagement qui ne m'aurait pas fait honneur, que la voiture 15 était parfaitement calme : pas un signe de la présence à bord des monstres, ils semblaient s'être volatilisés – j'avais peut-être rêvé (c'est toujours possible, on est loin encore d'avoir cerné toute la complexité du cerveau). J'ai rejoint ma place en face de l'informaticien au cuir chevelu irrité.

Un quart d'heure plus tard, alors que je tentais désespérément de ne pas entendre (c'est impossible, Dieu a bâclé le travail, on ne peut pas fermer les oreilles) les « Cling ! Cling ! Cling ! » incessants qu'émettait le téléphone fuchsia de la jeune Asiatique, qui paraissait passionnée par une discussion à plusieurs sur je ne sais quelle application (je n'y connais rien) et y restait intensément plongée, crispant à l'extrême les trente voyageurs environnants mais elle-même remarquablement coupée du reste du monde, malgré les soupirs d'agacement appuyés de la mamie qui boulottait des œufs durs à ma gauche (et vaporisait à chaque protestation une nuée de petites particules blanches et jaunes sur sa tablette), deux auteures qui étaient au salon se sont arrêtées à côté de moi dans le couloir. « On va boire un verre au bar, tu viens avec nous ? » C'était précisément ce dont je n'avais pas envie, encore bavarder (même si ces filles-là, vraiment, je les aimais bien), mais cerné par les projections d'œuf dur mâché, les « Cling ! » exaspérants qui se multipliaient et semblaient s'intensifier comme dans un cauchemar, et me rendant compte que depuis cinq minutes je n'arrivais plus à détacher mon regard – pour tenter d'oublier les longs poils qui pendaient de ses narines – de l'intérieur de la cavité buccale de l'informaticien aux épaules de neige (il mastiquait un abominable sandwich au saumon ou hareng, concombre et je ne sais quoi encore entre deux tranches de pain de mie complet flasques, imbibées de sauce, en ouvrant grand la bouche avec des bruits de ventouse et de méduse écrasée à chaque coup de mâchoires), j'ai trouvé qu'aller bavarder encore en buvant un verre avec des gens que j'aimais bien était très certainement la meilleure chose que j'avais à faire à ce moment-là. Je me suis donc levé en souriant pour les suivre, première et funeste erreur.

Dès la voiture qui précédait celle du bar, on sentait la plupart des passagers en alerte, têtes levées, l'air aux aguets, tirés de leur sommeil ou déconcentrés dans leur lecture – certains affichaient pour les autres un petit sourire insouciant, la plupart fronçaient les sourcils, seuls ceux qui avaient un casque sur les oreilles gardaient l'apparence de voyageurs ordinaires. Du wagon suivant parvenait jusqu'ici un fort tumulte, souligné de basses lourdes et régulières, et ponctué de vociférations gutturales. Derrière les deux filles qui continuaient à avancer, insensibles à la notion de danger, j'ai marqué un temps d'arrêt, mais mentalement seulement – deuxième erreur. Il était encore temps de fuir en douce, de pivoter à la vitesse du vent et de trotter jusqu'à mon pénible mais rassurant Club 4. Se retournant dix secondes plus tard, elles se seraient simplement dit : *Tiens, il a disparu*, et on n'en parlait plus.

La porte de la voiture-bar franchie, le spectacle était saisissant (dans le sens d'un truc qui vous saisit à la gorge et qui serre en grognant et en écarquillant de grands yeux déments, injectés de sang) : une forêt humaine occupait chaque centimètre carré du parallélépipède roulant destiné à la détente et à la consommation d'apéritifs et de petits plats en cocotte mitonnés par Michel Sarran, et dans le genre forêt, ce n'était pas du petit sapin, de l'élégant bouleau et de la clairière verdoyante avec faon qui broute, c'était du sauvage, de la jungle hurlante. Tous les monstres que j'avais vus monter dans le train étaient réunis là, entassés comme vingt ou trente cochons d'Inde enragés dans une boîte à chaussures. Englués dans la soupe assourdissante d'une musique électronique poussée à un volume sonore extraordinaire, provenant d'un gros ghetto blaster posé sur l'un des petits comptoirs, ils criaient, riaient, gigotaient puissamment et se tapaient mutuellement sur les épaules comme des lutteurs ivres – plusieurs étaient déjà torse nu. À ce moment-là, à l'orée de la masse suante, virile et beuglante, il était encore possible de faire demi-tour. Tout à fait possible. Il aurait suffi que je dise : « Holà, il y a trop de monde, on ne va pas être bien », et personne de sensé n'aurait pu prétendre le contraire. Je n'ai pas eu le temps. L'une des deux filles, à l'œil acéré comme une lame de poignard, a repéré un espace vide minuscule dans un coin près du comptoir de vente (derrière lequel le « barista », comme on aime à dire sur le réseau ferroviaire hexagonal, très pâle et recroquevillé sur lui-même, ne bougeait pas une oreille), la place, peut-être, à peine, pour deux personnes fluettes, et a foncé droit dessus. Nous étions bien deux personnes fluettes, mais j'étais là également. Tant pis, je les ai suivies, de toute façon, je ne pouvais plus rien faire d'autre : déguerpir maintenant, c'était l'assurance de traîner jusqu'à la fin de mes jours une réputation de lâche que trente brutes effrayent, une réputation de pied tendre, de demi-sel, de mauviette au sang de navet – et ça, jamais !

Comme nous étions près du bar, nous avons pu commander assez facilement nos boissons au pauvre barista terrifié (une bière pour une fille, une petite bouteille de blanc pour l'autre, une petite bouteille de rouge pour moi, l'homme) – sur son badge rectangulaire de poitrine, j'ai lu *Jean-Claude* et, un peu bêtement, ça m'a fait de la peine. Nous étions ses seuls clients. Car les envahisseurs avaient apporté leurs propres provisions (les sacs et cartons qu'ils avaient embarqués dans le train quand je sortais fumer ma cigarette, au bon temps de l'insouciance, contenaient des dizaines de bouteilles de bière premier prix (au litre), de whisky premier prix et de vin premier prix, ainsi qu'une demi-tonne environ de sachets de chips, cacahuètes, trucs soufflés au fromage, nounours en guimauve et machins acidulés, qui s'étalaient à présent, débouchés et éventrés, sur toutes les tablettes de plastique bleu clair du royaume de Jean-Claude) et, bien entendu, aucun passager du train n'était assez cinglé pour s'aventurer à venir acheter quelque chose à manger ou à boire alors que les barbares avaient entièrement pris possession du lieu (certaines ou certains, seuls ou en couple, apparaissaient à la porte, entrouvraient la bouche malgré eux et rebroussaient aussitôt chemin avec cette réserve circonspecte si utile dans la vie de tous les jours, cette sagesse et cette lucidité qui ont permis à l'humanité de survivre jusqu'à maintenant).

Mais il faut être honnête, ne dramatisons pas pour donner dans la littérature à sensation, restons vrai : pour l'instant, tout allait bien pour nous, nous étions certes un peu impressionnés, et serrés, nous prenions certes un coup de coude dans les côtes de temps en temps, mais les rugbymen (car nous avons fini par comprendre qu'il s'agissait d'une équipe de rugby de la banlieue parisienne, avec ses remplaçants et son staff, qui revenait d'un triomphe en terre bretonne (d'où, donc, les plaies, hématomes et pansements – mais c'étaient des blessures de victoire, on oublie vite, je suppose)) nous laissaient tranquilles, acceptaient notre présence, nous regardaient même de temps en temps d'un air presque amical qui rendait à mon avis hommage à notre audace, à notre courage, qualités qui s'harmonisaient tout à fait avec celles qui font loi en Ovalie, mais en tout cas ne s'intéressaient pas beaucoup à nous, ce qui suffisait à mon bien-être relatif et coïncidait parfaitement avec ma vision du vivre ensemble. Finalement, j'avais eu raison de suivre les filles, on n'était pas si mal ici, c'était rigolo. C'était sympa. (C'est au moment de l'apparition de la tortue que tout a basculé dans l'horreur, mais on n'en est pas là.)

Un contrôleur inconscient ou drogué s'est frayé un passage dans l'épaisse matière grasse musclée, sous les regards intéressés et rigolards des mastodontes, et s'est planté au milieu d'eux, tout petit, tout freluquet, le menton levé. Il leur a demandé de baisser la musique et de faire moins de bruit : des voyageurs s'étaient plaints. De plus, personne ne pouvait accéder au comptoir pour consommer, ça n'allait pas. Enfin, il était interdit d'apporter ses propres consommations dans la voiture-bar. (Nos amis avaient sorti d'un sac des colonnes de grands verres en plastique de 50 centilitres, et en avaient tous un à la main, qui jamais ne restait vide.) Mais surtout, il fallait absolument baisser cette musique insupportable : pour les gens des voitures voisines, ce n'était pas possible, vraiment.

Face à lui, les deux géants mythologiques qui paraissaient être les porte-parole du groupe (un homme de 2,80 mètres environ, qui devait peser 300 kilos et qui aurait pu étouffer un buffle et un ours en même temps, un sous chaque bras, et un homme (car oui, c'étaient bien des hommes, il fallait l'accepter) connu à la télé (je ne dis pas son nom, je ne suis pas complètement dingue, mais il se reconnaîtra – je pense que sous sa solide et effrayante cuirasse se cache un cœur d'or (hein oui ?) : il est tout à fait possible qu'il ait acheté *13 à table !* pour aider les Restos), à peu près aussi impressionnant que son jeune camarade, quoique plus compact) souriaient. Ils le dévisageaient gentiment. Ils ne lui ont pas répondu, ils se sont contentés de monter au maximum le son de la grosse machine à musique. Choqué, scandalisé, le contrôleur est reparti au milieu d'une haie d'honneur gloussante, sans un mot mais avec une expression qui disait clairement : « Ah, vous voulez jouer à ça ? D'accord, pas de problème, on va passer à la méthode dure. Attendez deux secondes, mes petits cocos. »

Ça leur a donné de l'entrain, cette courte visite officielle, aux sportifs, ça les a boostés, comme on dit dans le milieu de la forme et du bien-être. Ils ont rempli tous les verres, qui de bière au rabais, qui de vin acide, qui de whisky roumain, ils ont vérifié qu'on ne pouvait pas augmenter davantage le volume de la musique, et ils se sont mis à taper comme des (je ne trouve plus de mot, je suis un écrivain limité, si ce n'est médiocre, il faut accepter l'évidence – allez, disons comme des) fous sur les parois et le plafond du bar, en hurlant, cinquante paluches déchaînées qui frappent fort, ça devenait, comment dire, inquiétant. Ce n'était pas une impression, je crois : les gars faisaient vraiment bouger, vaciller, un train lancé à pleine vitesse. Je suis l'ennemi juré des clichés et des expressions toutes faites, mais tant pis, parfois il faut renoncer à chercher midi à 14 heures : incrustés dans le bloc de rugbymen, serrées les unes contre l'autre, nous étions, mes compagnes et moi, dans nos petits souliers. (De tout petits escarpins pour enfant. Vernis, rouges.)

Mais tout allait enfin s'arranger : les autorités sont arrivées. Le contrôleur est revenu avec ses collègues, dans le même uniforme que lui. Deux hommes et une femme, tétanisés par l'angoisse mais portés par une bravoure, un cran hors du commun, et le sens du devoir évidemment – des êtres humains remarquables, de ceux dont on dit le lendemain sur BFM TV qu'ils sont (ou étaient, dans le pire des cas) des « héros », de ceux qui n'en font pas tout un plat, qui ne cherchent ni les caméras ni la lumière, qui ne font ce qu'ils doivent faire que parce qu'ils doivent le faire, que parce qu'ils sont « comme ça ». Face aux deux représentants de l'équipe, débonnaires et toujours prêts à discuter pour que le trajet se passe au mieux, ils n'ont pas tardé à clarifier la situation :

— Nous allons vous demander d'arrêter la musique.

— D'accord.

— Arrêtez la musique, s'il vous plaît.

— Non.

La tension est, perceptiblement, montée d'un cran. Les quatre intrépides contrôleurs ont échangé un regard. Les deux ambassadeurs de l'équipe de rugby, non : ils considéraient alternativement les quatre contrôleurs intrépides, calmement. Derrière eux, un petit brun exceptionnellement sec et tonique, qui devait être un ailier très rapide, certainement d'origine sud-américaine, a eu la bonne idée d'éteindre le ghetto blaster. À présent, tout le monde pouvait entendre correctement la conversation, l'échange d'arguments :

— Dans ce cas, nous allons devoir vous demander de quitter le train.

— Ah ?

— Oui, vous enfreignez les... Nous ne pouvons pas vous laisser vous comporter comme bon vous semble dans ce train, au détriment des autres passagers.

— Bon. Dommage. Alors qu'est-ce qu'il va se passer ?

— Soit vous vous calmez, vous arrêtez la musique et vous respectez les règles élémentaires du voyage, soit nous serons dans l'obligation de faire stopper le train et de vous débarquer.

— De nous débarquer ? Tous ?

— Oui. Sauf évidemment si vous acceptez de baisser le son, de faire moins de bruit, de ne pas troubler le... Enfin, de laisser les...

— Mais comment, pardon, mais vous allez faire comment pour nous débarquer ? Tous les quatre, là, vous allez nous débarquer ?

Les deux titans avinés se mordaient les lèvres pour ne pas rire. Les quatre vaillants (mais déjà dépités – ils vivaient leurs dernières secondes de fierté professionnelle) employés de la SNCF ont de nouveau échangé un regard (que faire d'autre ?), puis, d'un commun accord tacite, ont quitté silencieusement la voiture-bar, aussi dignes que possible, sous les yeux compréhensifs (si, j'en suis sûr) des robustes vainqueurs fair-play.

Là, alors là, misère, la fête a véritablement débuté. Ils ont remis la musique à fond, ont recommencé à taper partout, à sauter sur place, à vagir comme de terrifiants bébés hystériques, et les T-shirts ont volé, les torses nus se sont multipliés. À mon grand dam (c'est le moins qu'on puisse dire), les deux filles se sont éloignées de moi et se sont mises à danser avec eux. Qu'est-ce qu'il leur prenait ? L'alcool ? (Pfff, une bière, une petite bouteille de blanc, et ça y est, ça part en vrille.) Un afflux soudain d'hormones, à la vue de ces pectoraux impressionnants, lisses et lui-sants ? (Et moi, je suis un poireau ? Un gros beignet ? Je n'enlève pas ma veste et mon polo parce que j'ai des principes, un standing, mais – bref, on ne va pas parler de ça une heure.) L'envie de s'amuser, car ces fous furieux ont finalement l'air assez inoffensifs et même bons garçons, et c'est pas tous les jours qu'on peut danser dans un TGV ? (Peut-être.) Me sentant abandonné, j'ai fait deux pas jusqu'au comptoir et acheté une autre petite bouteille de rouge à mon seul véritable ami ici, mon frère, Jean-Claude. Ça me ferait du bien, tiens, un peu de soutien liquide. Tout ne se passait pas si mal, après tout. Je n'avais qu'une inquiétude, diffuse, en fond de conscience : et si les maîtres incontestés des lieux se mettent en tête de tripoter brutalement ces deux jolies filles pimpantes, girondes et naïves qui se trémoussent entre eux, qu'est-ce que je fais ? Je les sauve, bien sûr, mais comment ? (Je fonce dans le tas ?) Je n'ai pas eu à me poser la question longtemps. D'abord parce qu'il semblait évident que ce n'était pas dans la nature ni l'état d'esprit de ces athlètes excités mais manifestement bienveillants, de mal se conduire avec les dames, ensuite parce que l'un d'entre eux, un petit trapu velu aux yeux vifs, a soudain poussé un cri rauque : « La tortue ! Les gars ! La tortue ! »

Quoi la tortue ? J'ai tourné la tête dans la direction de son regard et je n'ai pas vu de tortue, au contraire : j'ai vu mon pote Hippolyte. Un écrivain, qui était avec nous au salon breton, mais surtout un ami depuis quinze ans. (Hippolyte n'est pas son vrai prénom, mais ne cherchez pas, il n'est pas très connu.) Il est resté paralysé un instant, sans doute plus long qu'il ne l'aurait voulu, à l'entrée du bar, les yeux écarquillés, sidéré par ce qu'il voyait. « La tortue ! » (Des pensées absurdes percutaient les parois internes de mon crâne, je ne comprenais pas ce qui se passait (moins encore que tout à l'heure). Il était connu dans le monde du rugby sous le surnom de « la tortue » ? (Parce qu'il était très lent ? Parce qu'il savait se recroqueviller au sol quand on voulait lui prendre le ballon, comme sous une carapace ?) Il est presque aussi peu sportif que moi, ce n'était pas possible. Et puis il m'en aurait parlé. (Mais si.))

Ayant réussi à sortir de son état cataleptique, et m'ayant repéré près du comptoir (avec, m'a-t-il semblé, un léger flash à la fois perplexe et amusé dans les yeux), Hippolyte s'est avancé, prudemment, au milieu des forces massives d'occupation. Il n'a pas pu retenir une mimique éberluée de film muet lorsqu'il a vu les 2 filles qui dansaient follement avec eux, mais cette agréable sensation de détente et de sensualité bon enfant n'a pas duré. Il était encore à 2 mètres de moi lorsque les molosses aux yeux moins vifs que le petit trapu velu ont enfin remarqué sa présence, ils ont poussé un hurlement, deux, trois, puis tous ensemble, avec une puissance vocale phénoménale : « La tortue, une chanson ! La tortue, une chanson ! » Hippolyte n'a pas réalisé immédiatement que c'était lui, la tortue. Que c'était à lui qu'on demandait de chanter. Et moi, j'ai mis également quelques secondes à comprendre : la Tortue, Christophe Willem. Les gars pensaient qu'Hippolyte était Christophe Willem ? Non, l'alcool fait des ravages, je n'apprends rien à personne, mais il me semble tout de même qu'il y a des limites. Les gars trouvaient certainement qu'Hippolyte ressemblait un peu à Christophe Willem. (Il fallait vraiment chercher, mais avec beaucoup de bonne volonté, peut-être, Hippolyte avait des lunettes, une petite barbe... (Hippolyte n'est pas David Foenkinos, non – pour rappel, il n'est pas très connu.) De là à lui trouver une ressemblance frappante avec Christophe Willem, au point de se mettre à crier comme ça, c'était n'importe quoi, je trouvais... Mais je n'ai rien dit.) « La tortue, une chanson ! » Au début, Hippolyte riait de bon cœur. Ces fans du ballon ovale sont impayables. De mon côté, je ne m'inquiétais pas beaucoup non plus. Car il se trouve, par chance, qu'Hippolyte aime chanter, dès qu'il a un coup dans le nez il envoie, et pas d'une voix de majorette : un ténor, un costaud de la glotte. Mais l'air ambiant s'est chargé d'une certaine tension quand le porte-parole de 300 kilos à vue de nez s'est approché de lui, tout près, a ployé la nuque et baissé la tête pour le regarder droit dans les yeux, et lui a dit d'une voix posée : « Allez, la tortue, chante. » Je ne sais pas, le fait qu'il s'adresse directement à lui en l'appelant « la tortue », et qu'il n'y ait pas réellement de demande, du moins de question, dans sa phrase, a apporté une sorte d'électricité dans l'atmosphère, pas encore alarmante mais perceptible. De manière étonnante, Hippolyte, toujours souriant, a grommelé quelque chose comme : « Oh ben non, non, je chante pas, non. » J'étais scié. Qu'est-ce qu'il avait ? C'était l'idéal, pourtant : la chanson, c'est vraiment son truc, il allait pouvoir se faire accepter facilement à peine arrivé, participer pleinement à la fête, contrairement à moi, il lui suffisait de faire ce qu'il fait toujours de lui-même, sans que des sauvages éméchés l'y poussent. Son interlocuteur a fait mine de ne pas avoir compris : « Pardon ? » Hippolyte a regrommelé à peu près la même chose, à base de « non », peu arrogant mais avec un entêtement déconcertant dans ces circonstances. Le triple quintal, ahuri, s'est retourné vers sa horde : « Les mecs, la tortue veut pas chanter ! »

Des exclamations indignées et hilares ont fusé (« Quoi ? », « C'est pas possible ?! », « La tortue, tu chantes ! », « Ha ha ha ! ») et le deuxième chef du groupe, le type de la télé, a éteint la musique – ce qui a immédiatement fait grimper de plusieurs degrés la charge dramatique de la scène dont nous étions les acteurs (bien malgré moi). Sachant comment ces rebelles coriaces et sans foi ni loi avaient résisté aux implacables contrôleurs venus en nombre, j'ai fait un pas vers mon ami et j'ai murmuré, d'une voix veule et lâche qui m'a surpris moi-même, et gêné : « Vas-y, chante, Hippolyte, fais pas le con. » Il a plissé le front. (J'ai eu un peu honte, mais j'essayais de le sauver, il faut me comprendre.) Le type de la télé est venu, lentement, se positionner au flanc de son collègue : le pauvre Hippolyte avait à présent le mur de l'Atlantique face à lui. « Tu chantes pour nous, la tortue. » Réponse ahurissante de cet ami que je croyais connaître : « Non, désolé. » Quel con.

Les deux monstres ont paru sincèrement attristés, presque abattus, la vie leur pesait, ce monde les rejetait, était-il vraiment utile de se donner tout ce mal ? Tandis que l'un continuait à fixer Hippolyte d'un regard navré et las, l'autre s'est retourné vers leurs vingt-cinq assistants pour leur annoncer la mauvaise nouvelle : « La tortue ne veut pas chanter, les mecs. On n'est sans doute pas assez bien pour lui, il n'y a pas de caméra, il veut pas... Bon, je crois qu'il n'y a qu'une seule solution, hein ? » Deux ou trois secondes de silence relatif... et soudain la clameur, l'hystérie dans la voiture-bar quand l'un d'eux s'est exclamé : « Le BriBri ! » et que tous les autres ont repris : « Oui ! Le BriBri ! Oui ! Le BriBri ! Le BriBri ! » en se remettant à taper sur les parois avec leurs grosses pattes et en frappant des pieds, défigurés par la joie – on aurait dit un groupe d'enfants difformes à qui on vient d'apprendre que Noël n'était pas dans six mois, mais ce soir.

Hippolyte souriait encore un peu, vaguement. Comme un reste de sourire qu'il avait oublié d'effacer. « Si tu veux pas chanter, pas de problème, on force personne, c'est pas notre genre. Mais alors tu vas boire le BriBri, c'est le gage. » Qu'était-ce, le BriBri ? « C'est une spécialité à nous, un petit cocktail. Ça se boit cul sec. Préparez-lui un BriBri, les mecs. » Hippolyte ne disait rien, il devait chercher où se trouvaient les petits muscles qui permettaient, en les relâchant, de détendre le visage pour ne plus sourire. Les filles étaient revenues dans notre petit coin, on ne faisait plus trop les malins, tous les trois. Mais j'avais confiance en l'avenir immédiat : l'autre particularité d'Hippolyte, avec sa passion pour la chanson, c'est qu'il aime bien picoler, je l'ai rarement vu refuser un verre. Sans le savoir, ses tortionnaires lui offraient une porte de sortie parfaite, dans trente secondes tout serait terminé.

Sur la tablette à côté de nous, le petit trapu velu a préparé le BriBri, nectar légendaire des dieux du stade. Dans une grande pinte en plastique, il a versé un tiers de mauvaise bière, puis un tiers de mauvais vin rouge, et enfin, logiquement (si on peut dire), un troisième tiers, jusqu'à ras bord, de très mauvais whisky. 50 centilitres de venin marron. Hippolyte, le malheureux, allait déguster.

Le pilier de 3 mètres et quelques, avec l'élégance et la distinction d'un garçon de café de la toute fin de l'ère tertiaire, lui a tendu le verre empli de breuvage immonde. Hippolyte a prononcé alors ce qu'on peut considérer comme une phrase, mais qui n'a suscité aucun écho dans l'assistance, tant elle paraissait improbable (*Il n'a pas pu dire ça, mes oreilles me jouent des tours*, songeait certainement chacun d'entre nous) : « Non. » N'écoutant que sa raison, son vis-à-vis a préféré se dire qu'il n'avait rien entendu. « On va chanter, et pendant ce temps, tu dois tout boire cul sec. » Hippolyte, qui malgré lui souriait toujours (comme ces cadavres qu'on retrouve avec un gros trou dans le corps, après avoir été traversés par un boulet de canon, et sur le visage, à jamais, l'air stupéfait, presque amusé, d'un gamin qui vient de voir passer un ours en tutu de ballerine (un ami journaliste, corse, Antoine, qui faisait un reportage sur l'assassinat d'un bonhomme criblé de balles en pleine rue, à Bastia ou Ajaccio, je ne sais plus, m'a dit qu'un passant témoin lui avait affirmé que, après avoir reçu une rafale dans le buffet, la victime n'avait rien trouvé de mieux à dire (ses tout derniers mots sur terre avant de mourir) que : « Ouille ouille ouille »)), a articulé une seconde et dernière phrase, plus longue et donc plus atterrante que la première : « Non, je ne bois pas ça. »

Là, ça n'allait plus. Moi, je ne comprenais plus rien (ce n'est pas possible que le tendre Hippolyte cherche à ce point la bagarre, l'affrontement physique direct avec vingt-cinq brutes soûles en colère, alors qu'il avait le choix entre deux issues de secours peu enthousiasmantes mais pas effroyables non plus, et tout de même « de secours »), les deux filles réalisaient que l'heure n'était plus à la fête, et les sportifs, eux, d'une seconde à l'autre, ne plaisantaient plus du tout. Ce que tout le monde avait pris jusqu'à maintenant pour une sorte de blague, de chambrage de colonie de vacances, et, côté souffre-douleur, de simple refus de jouer à ce truc idiot, virait à la pro-vocation, à l'injure. Hippolyte n'était plus seule-ment un garçon trop timide pour chanter, ou trop chochotte et soucieux de son capital santé pour accepter d'engloutir un demi-litre de tord-boyaux, il les défiait, il cherchait les embrouilles, il les humi-liait en les envoyant paître, on n'est pas du même monde, ne venez pas me gonfler et me salir avec vos âneries de primitifs. (À mon avis, dans leur esprit, c'était comme s'ils lui avaient gentiment demandé de compter jusqu'à cinq et qu'il leur avait répondu : « Allez vous faire foutre. ») Il leur manquait de respect, en gros.

Toute l'équipe s'est rapprochée derrière les deux leaders, qui se sont eux-mêmes rapprochés d'Hippolyte, jusqu'à le toucher. Il tremblait, je le voyais, il avait réellement peur, mais on aurait dit qu'il était désormais coincé (je ne comprenais pas, je ne comprenais pas), il semblait s'être enfermé dans sa position et ne plus pouvoir en sortir. En face, leur expression avait changé – il en allait à présent, même si c'était ridicule, démesuré, de leur dignité, de leur honneur. J'ai vu le poing énorme du plus grand se serrer le long de sa cuisse, à 30 centimètres de moi, et le regard de l'autre se durcir de violence (celle de ses années d'adolescence, où c'était ça ou se faire écraser). Le premier a tapoté trois fois le sternum d'Hippolyte (au point de le faire reculer d'un demi-pas à chaque tapotis) en grognant : « Tu chantes ou tu bois, la tortue, point barre. » Je ne sais pas ce que se disait Hippolyte à ce moment-là, à quel niveau de lucidité il en était, mais moi qui suis psychologue, je voyais bien qu'ils allaient le démolir. Mais je comprenais, enfin : d'accord, il aurait dû accepter dès le début (ce n'était pas très drôle, ils étaient un peu frustes, mais allez, on va leur faire plaisir, on s'amuse avec eux), or là, ce n'était plus possible, les choses avaient autant changé pour lui que pour eux : si Hippolyte revenait en arrière maintenant, il ne rentrait plus simplement dans un jeu un peu crétin ; il leur obéissait, il se soumettait à des maîtres, il se déshumanisait, il ne pourrait plus se regarder dans une glace sans honte. Mais quoi qu'il en soit, tout le monde ici savait que ça allait inévitablement mal tourner, rien ne les empêchait plus de commencer à lui mettre des claques, et ensuite on ne savait pas. Le très grand tripotait comme distraitement le col de la chemise d'Hippolyte.

— Attendez, je vais le faire !

Les deux chefs tournent ensemble leurs grosses têtes vers moi. (Une pensée marrante me traverse l'esprit (elles font ce qu'elles veulent quand on ne s'y attend pas, les pensées) : ils croient peut-être que je propose de le frapper moi-même, pendant qu'ils le tiennent.) Je vais m'envoyer le BriBri, je leur dis. Ça me dérange pas, j'ai une bonne descente, et ça n'a pas l'air si terrible. (Ce n'est pas particulière-ment courageux, au contraire : d'une part, je suis aidé par les deux petites bouteilles de rouge déjà bues, d'autre part, on ne peut pas en mourir, et ce ne sera pas la première fois que je bois cul sec un truc abominable, enfin et surtout, s'ils se mettent à taper sur Hippolyte, qu'est-ce que je fais ?) Dans un premier temps, ils tiquent : « Tu le connais ? » Je leur explique que c'est même mon ami, oui. Ils interrogent Hippolyte, qui confirme, et les deux filles appuient : « Oui, oui, c'est notre ami. » Les chefs se tournent vers les autres, échangent quelques regards, marmonnent un peu entre eux, puis : « Si c'est ton ami, ça marche, tu peux le faire à sa place. Comment tu t'appelles ? » Philippe, je dis. « Bon, Philippe, on va chanter notre chanson du BriBri, et pendant qu'on chante, tu vides le verre, mais d'un seul coup. OK, c'est bon ? » (Oui, ça va, c'est pas la fission de l'atome, non plus, je sais boire un verre. Mais je me contente de hocher la tête, concentré à l'extrême.) Hippolyte, ne se sentant plus au cœur de l'action, fait un pas sur le côté mais une patte lui tombe sur l'épaule : « Tant que c'est pas fait, tu bouges pas d'ici. » On me tend le gros gobelet plein de marron. L'équipe commence à chanter. C'est très puissant, ça emplit tout le wagon, tout le train, ça s'étend largement sur toute la campagne environnante – c'est Twickenham, je suis l'équipe nationale anglaise, je suis le XV de la Rose, mes supporters s'envolent en transe lyrique. Je suis évidemment trop focalisé sur la mixture abjecte pour prêter vraiment attention aux paroles, mais c'est quelque chose comme : « Philiiiiiiippe, il va boire le BriBriiiiiii... » Je me lance.

Soutenu par tout un peuple, je me verse un demi-litre de BriBri dans la gorge, à 300 kilomètres/heure.

Le tumulte est assourdissant, les cris de joie et d'admiration font vibrer tout le plastique du bar, « Bravo ! », les arbres au bord des rails sont soufflés, « Bravo Philippe ! », les filles lèvent les bras au plafond (Hippolyte reste stoïque), les athlètes tapent des mains ou lèvent le poing, « Yes ! », « Philippe ! Philippe ! » En coulant vers mon estomac, le mélange whisky-vin-bière explose sourdement, gronde, brûle, avant bientôt, sans doute, de monter en flèche vers le cerveau et de descendre en avalanche dans les entrailles. Je crois que je souris. Hippolyte regarde vers la porte. Le grand chef me pose une main sur l'épaule, sans me casser la clavicule, il me semble. « Bravo, Philippe, c'était beau, bien joué, c'est pas tout le monde qui peut faire ça. » (Infime sentiment de fierté.) « Mais ça va pas. » (Quoi ? Mais si, ça va.) « Tu n'as pas bu au bon moment. Il faut boire sur le refrain. Hein, les mecs ? » (Grognements d'approbation générale. De mon côté, infime début de sentiment de révolte.) « Tu vois, tu as bu quand on disait "Philippe, il va boire le BriBri". Il VA boire. Le refrain, c'est "Philippe, Philippe, il boit le BriBri." Forcément, si tu bois avant, ça va pas. Tu comprends ? Momo, refais-en un. » (Hippolyte avait déjà commencé à s'éloigner, le passage se referme devant lui.) Momo, le trapu velu, remplit un deuxième grand verre de cocktail explosif, en prenant soin de respecter parfaitement les proportions.

Inutile d'en faire un poème épique : j'ai protesté, j'ai résisté, je me suis indigné, Stéphane Hessel aurait été fier de moi, mais bien sûr, j'ai quand même dû boire un deuxième BriBri. Et je l'ai bu, d'un trait, après avoir respectueusement laissé passer le premier couplet, 50 centilitres, « Philippe, Philippe, il boit le BriBri », tout mon corps se crispe, 300 kilomètres/heure, mon estomac se soulève (va au diable, Stéphane, tes trois pages ne servent à rien), le poison s'infiltre partout en moi, j'ai du mal à rester debout, hurlements, triomphe, « Philiiiiippe, il a bu le BriBriiiiii », et ensuite, très rapidement, tout devient flou, les deux filles m'embrassent, Hippolyte a disparu, les chefs me frottent vigoureusement les épaules et les bras, toute l'équipe scande mon nom en sautant sur place, le train va dérailler, on remet la musique à fond, tout le monde danse et rigole et crie, les filles aussi, je suis soulagé mais désemparé, totalement, il se passe en moi des choses inédites et désarmantes, et affolantes, mais autour c'est la bonne ambiance jusqu'à Montparnasse, il faut que je repousse de toutes mes forces l'envie de me mettre torse nu, ma dernière once d'amour-propre est à ce prix, j'y parviens, je suis fort, je suis digne, qu'ils dansent et braillent si ça leur plaît, chacun son truc, Philippe il a bu le BriBri, je reste classe, simple, je m'accroche à la tablette en plastique bleu clair.

Quand le train s'arrête à Montparnasse, je me rappelle que je dois aller chercher ma valise à ma place, le Club 4 du bon vieux temps, je ne sais plus où sont les filles, je ne les vois plus, je quitte la voiture-bar, les rugbymen décalqués n'ont pas l'air pressés de partir, je passe au milieu d'eux, tous me tapent violemment dans le dos, « Salut Philippe, bravo, t'es un champion, à la prochaine ! » (je garderai des bleus sur les deux épaules pendant plus d'une semaine – mais on oublie vite les blessures de victoire), tout à coup je me retrouve assis dans le métro sur la 4, et quelqu'un me parle en face de moi, je réalise que c'est Hippolyte, il me demande si ça va, me dit que je n'ai pas l'air bien du tout, je ne sais pas ce que je réponds mais je me souviens que je passe la main sur mon visage et me rends compte que je ruisselle de sueur, et que j'ai les yeux pleins de larmes – pas de tristesse ni de quoi que ce soit de ce genre, bien sûr, juste une réaction corporelle, comme lorsqu'on avale un piment entier. Je me rappelle qu'il me dit : « T'es con, fallait pas faire ça, c'était pas la peine » (je n'ai même pas eu la force de répondre), puis je suis devant la porte de chez moi, au troisième étage, la clé ne rentre pas, c'est Anne-Catherine qui m'ouvre, elle ne cherche pas à contenir un pas de recul, elle me considère avec un mélange de lassitude, de mépris, et d'une pointe compréhensible de dégoût, je me dis que c'est à cause de ma tête (elle m'expliquera deux jours plus tard que c'était surtout à cause de l'odeur, des relents fétides de BriBri qu'exhalait tout mon corps, elle a eu l'impression d'avoir ouvert une chambre mortuaire où pourrissaient depuis quelques jours plusieurs personnes qui n'avaient pas survécu à leur coma éthylique), je ne peux pas lui en vouloir, je suis une loque, mais j'ai envie de lui dire : « J'ai sauvé un homme » (la phrase complète qui me vient brièvement à l'esprit, c'est : « J'ai sauvé un homme, Anne-Catherine, j'ai sauvé un homme »), mais je ne sais plus exactement où se trouve ma bouche, et de toute façon je sens confusément qu'il ne vaut mieux pas, qu'il faut juste rentrer à la maison, et ne rien dire, aller me coucher sans rien dire – on est comme ça, nous les héros.

Yasmina KHADRA

Le Beignet

Yasmina Khadra, de son vrai nom Mohammed Moulessehoul, est né dans le Sahara algérien. Consacré à deux reprises par l'Académie française, salué par des prix Nobel, récompensé par de nombreux prix littéraires, Yasmina Khadra est traduit dans une cinquantaine de pays et a su toucher des millions de lecteurs. Il a récemment publié *Khalil* et *L'Outrage fait à Sarah Ikker* aux Éditions Julliard.

J'ai toujours eu peur de la nuit. À cause de mes insomnies – mes fractures ouvertes à moi –, qui me livraient sans ambages aux fantômes de mes absents en encombrant mon esprit de pensées obscures.

Quand tombait le soir, et que le ciel se mettait à se voiler la face, je regagnais le dortoir comme retourne au mitard un taulard invétéré.

Comment être en paix avec moi-même ? J'étais un petit soldat incompris qui passait ses journées à engranger les déboires pour les ruminer en vrac à l'heure où ses camarades de chambrée ronflaient à poings fermés tandis qu'il fixait le plafond à le crever.

Je n'avais pas arrêté de remuer dans mes draps. Une tristesse indéfinissable m'empêchait de fermer l'œil. Lorsque le vague à l'âme jetait l'ancre en moi, sans raison et sans crier gare, cela signifiait que j'allais avoir de sérieux problèmes. Quand bien même l'alarme se déclenchait à temps, impossible d'avoir une longueur d'avance sur la déconvenue qui s'annonçait… Et pourtant, au petit matin, tandis que le clairon sonnait le rassemblement pour la levée des couleurs, une touchante surprise m'attendait : en enfilant mon treillis, je découvris une enveloppe au fond de ma godasse. À l'intérieur, un billet de 50 dinars et une petite carte postale sur le verso de laquelle une main anonyme avait écrit *Bon anniversaire, Mohammed*.

Nous étions le samedi 10 janvier 1970.

Ce fut la première fois de ma vie que quelqu'un me gratifiait d'une aussi gentille pensée. Je n'avais jamais reçu de cadeau d'anniversaire, avant.

— La lettre, c'est toi ? avais-je demandé à Ikhlef, mon meilleur ami.

— Quelle lettre ?

— Bon, laisse tomber.

Ce ne pouvait pas être lui. Ikhlef était aussi fauché qu'inattentif aux bons usages.

Toute la matinée, j'avais cherché autour de moi l'âme charitable qui venait de me prouver que j'avais une histoire, une date de naissance et une raison de les célébrer. En vain. À ce jour, un demi-siècle plus tard, je ne sais toujours pas qui avait glissé l'enveloppe en question dans mon brodequin de troufion.

À l'époque, avec 50 dinars, on pouvait acheter un ticket d'autocar aller-retour pour Blida, ou Alger ou bien Tizi Ouzou, s'offrir un bon repas dans la meilleure gargote de la ville, une place balcon au cinéma, un sandwich gargantuesque « Chez Sahnoun » après la projection, et il en restait de quoi se payer un tas d'autres petits luxes le week-end suivant.

À midi, j'avais échangé mon treillis de travail contre ma tenue de sortie, ciré mes bottes à m'esquinter le poignet, ensuite, le béret rabattu sur la tempe, le menton haut perché, j'avais passé un long quart d'heure devant le miroir à parfaire ma dégaine de jeune centurion. Ce 10 janvier 1970, je venais d'avoir quinze ans, l'âge des conquêtes, des défis improbables et des candeurs magnifiques – l'âge où l'on se croit capable de sauver le monde et d'en être l'un des héros promis.

C'était un beau samedi. Enfin, je crois. En tous les cas, s'il avait plu, ce jour-là, si le ciel avait été bas ou s'il avait venté, je ne m'en souviens pas. Tout ce que je me rappelle est le billet de banque qui tenait au chaud ma poche, mon cœur et mon âme.

Il m'arrivait rarement d'avoir de l'argent sur moi. Personne ne m'envoyait de mandat et je ne gagnais jamais au pari sportif. Avec cinq fois 10 dinars, je pouvais me permettre de rêver. Aussi avais-je décidé de me rendre à Blida pour me dégotter une petite amie, à l'instar de certains Cadets aux portefeuilles garnis des photos de la cousine ou bien de la voisine tandis que mon portefeuille à moi demeurait scellé comme une pièce à conviction.

Les filles de Blida étaient tellement belles qu'elles m'intimidaient. Elles étaient des roses faites femmes, et chacune d'elles valait un jardin. Il me semblait qu'elles évoluaient dans un monde parallèle auquel je n'avais pas accès. En vérité, c'était moi qui les effarouchais avec mes sourcils circonflexes qui me conféraient un air à gâcher une fête et ma boule à zéro auréolant mes soucis. Pour ne pas courir le risque d'être rabroué comme un malpropre, je me contentais de les contempler de loin, tapi quelque part, à l'abri des indiscrétions. Je passais des heures à m'imaginer rire aux éclats avec la petite rouquine assise là-bas sous le caroubier, tenir la main de la brunette au tablier bleu, raconter mes faits d'armes à celle qui me paraissait suffisamment indulgente pour ne pas les contester. J'étais pareil à un mouflet ébloui par un aquarium. Ce n'était pas beaucoup pour un gamin en quête de tendresse, mais cela suffisait à me faire croire que j'étais heureux.

Quand on est dépossédé de tout, un rien nous comble – et je n'étais pas exigeant.

Lorsqu'on se hasardait du côté du lycée, Ikhlef et moi, les collégiennes n'avaient d'yeux que pour mon ami. C'est vrai qu'il était beau et qu'il avait le charisme d'une jeune idole, cependant, je ne pense pas avoir était affreux au point de me confondre dans son ombre. J'étais consterné de ne taper dans l'œil d'aucune dulcinée potentielle. Pour me consoler, Ikhlef me disait que ma beauté à moi était intérieure. Je lui rétorquais que ça ne me botterait guère de m'éventrer sur la place publique pour qu'on la voie, cette foutue beauté intérieure. Je voulais qu'on m'aime tel que j'étais, un Cadet renfrogné au crâne constamment rasé, pas fringant certes, mais sincère et loyal, capable d'aimer comme seuls les poètes savent le faire – et j'étais poète dans les gènes.

Il y a une vingtaine de kilomètres, de Koléa à Blida. La route était aussi droite que la voie des Justes, parée de part et d'autre de fermes coloniales et de bosquets. D'habitude, on arrivait à destination en moins d'une demi-heure. Ce jour-là, il m'avait semblé qu'on roulait depuis une éternité. Le nez contre la vitre, j'écoutais l'autocar se gargariser en songeant à celle qui m'attendait dans la « Ville des Roses » pour me restituer un peu des joies que l'encasernement m'avait confisquées. Je me voyais tantôt avec une effrontée au regard azuré, tantôt avec une houri aux joues ornées de fossettes, et je me surprenais à sourire à mon reflet que la buée perlait de rosée. J'étais confiant. Je répétais, en mon for intérieur, les belles phrases en mesure d'impressionner celle qui croiserait mon chemin, les petits mensonges fleuris censés l'émouvoir. À côté de moi, un vieillard dormait sur son siège, la bouche ouverte. De temps à autre, il poussait des grognements qui m'arrachaient à mes rêveries et je lui en voulais de me faire descendre de mon nuage.

Nous avions atteint Blida vers 14 heures. La ville fleurait bon la Mitidja aux mille vergers. En levant la tête vers le sud, on pouvait voir les cimes enneigées de Chréa. J'ai toujours aimé contempler la montagne, ses forêts embrumées et ses ravins tourmentés chargés de mystères. Mais ce jour-là, je n'avais d'yeux que pour les rares filles qui enguirlandaient les ruelles comme des feux follets.

Je m'étais rendu dans une grande librairie sur le boulevard, dans l'espoir de provoquer une belle rencontre. Je passais d'un étal à l'autre, guettant une lectrice providentielle pour lui demander conseil sur tel ou tel ouvrage. C'était ma façon à moi de procéder. Je n'en connaissais pas d'autres.

— Vous pensez que c'est un bon roman, mademoiselle ?

— Je ne l'ai pas lu.

— Je cherche une histoire d'amour.

— Voyez avec le libraire.

L'entrée en la matière s'arrêtait souvent là.

Il arrivait qu'une fille se prêtât à mon jeu. Elle tournait et retournait le livre entre ses mains, survolait la quatrième de couverture avant d'ébaucher une moue évasive.

Je passais aussitôt aux choses sérieuses :

— Vous êtes de Blida ?

— Oui.

— Moi, je suis d'Oran. Vous y êtes déjà allée ?

— Non.

— Oran est la plus belle ville d'Algérie.

Mon uniforme intriguait.

— Vous avez quel âge ?

— Quinze ans.

— Vous n'êtes pas un trop jeune, pour l'armée ?

— Ah ! Je suis un Cadet de la révolution.

— C'est quoi, un Cadet ?

— Un lycéen un peu particulier. À l'école de Koléa, nous suivons le cursus scolaire en vigueur dans l'ensemble du pays, sauf que nous sommes destinés à une carrière militaire. Après Koléa, nous serons orientés sur l'Académie de Cherchell pour devenir officiers. Tout à fait entre nous, je n'ai pas une tête pour porter le casque. Mon rêve à moi est d'être un écrivain.

Mais la fille s'excusait déjà de devoir me laisser.

J'étais allé dans d'autres librairies, sans parvenir à m'entretenir avec une fille plus de deux minutes. Afin d'attirer l'attention des clientes, j'étais même contraint de demander à voix haute au libraire s'il ne connaissait pas un éditeur dans le coin susceptible de publier mon recueil de nouvelles. « Un éditeur français m'a fait une offre, mais je préfère être édité dans *mon* pays. » Quelques regards dubitatifs se posaient sur moi, m'effleurant à peine, avant de m'ignorer. J'avais essayé d'autres coups d'éclat, mais toutes mes tentatives de me donner une visibilité échouèrent. Seule une dame, me voyant errer au milieu des étals, s'était approchée de moi.

— S'il y a un livre qui vous tient à cœur et si vous n'avez pas de quoi le payer, je vous en fais cadeau.

Je dus battre en retraite sur la pointe des pieds.

Le soleil déclinait. Il y avait de moins en moins de filles dans les rues. Des gamins jouaient au foot sur la chaussée. Les terrasses des cafés étaient bondées d'hommes en train de faire et de défaire le monde en tirant nerveusement sur leurs cigarettes. J'avais l'impression que l'humanité entière me tournait le dos.

Bredouille et furieux, je pris place sur un banc et attendis j'ignorais quoi.

— Qu'est-ce que tu fabriques par ici ? me souffla dans l'oreille Volvo, un camarade de chambrée qu'on surnommait ainsi à cause de son crâne allongé.

Il était accompagné de Brahim, un rondouillard natif de Youx-les-Bains qui adorait se payer la tête des gens.

— J'ai rendez-vous avec une copine.

— Arrête, me fit Volvo, t'as pas plus de copine qu'un pestiféré. Ça te dirait de nous rejoindre au *numéro 37*. Paraît qu'il y a un nouvel arrivage.

— Il a encore le lait de sa mère sur les dents, maugréa Brahim avec dédain. On ne le laissera pas entrer.

— On s'arrangera avec la matrone pour qu'elle ferme les yeux.

— Je vous dis que j'ai rendez-vous.

— C'est ça, ricana Brahim en tirant Volvo par le bras.

Ils s'éloignèrent en gloussant.

J'étais resté une heure sur le banc à me demander ce qui pouvait bien me retenir dans un endroit sinistré que j'étais le seul à hanter. Il commençait à faire froid. Les derniers rayons du soleil tentaient vainement de s'agripper aux nuages. La nuit, qui n'allait pas tarder à me tomber dessus, se préparait déjà à anéantir mes chances de me faire une petite amie. J'étais excédé et triste. Je me rendis surtout compte que mes jours, qu'ils fussent d'anniversaire ou de corvée, ne m'apportaient rien de bon, que la déveine ne me concéderait pas la moindre marge de manœuvre. Il fallait me résoudre à l'idée que, lorsqu'on est mal dans sa peau, on l'est un peu partout, et que la seule façon de sauver la face était de déposer les armes avec dignité.

Je m'apprêtais à rejoindre la gare routière pour rentrer à Koléa quand une fille vint s'asseoir à côté de moi. Légèrement potelée, à l'étroit dans sa robe, elle extirpa d'un petit sachet un beignet et mordit dedans avec voracité. Elle avait un beau visage rond aux pommettes hautes qui lui plissaient les yeux, des rubans dans les cheveux et deux petites mains translucides que j'aurais aimé saisir dans les miennes pour les garder jusqu'à la fin des temps. Elle était tellement occupée à savourer son soufflet qu'elle ne me prêta pas d'attention.

— C'est bon ? lui demandai-je.

Elle fit oui de la tête, les joues cabossées, puis elle rouvrit le sachet, y pêcha un beignet et me le tendit.

— Il est encore chaud, me certifia-t-elle.

Je pris le beignet et mordis dedans à mon tour.

— Il est délicieux. C'est toi qui l'as préparé ?

Elle fronça les sourcils, comme si ma question était saugrenue :

— Mais non, je l'ai acheté chez le Tunisien.

— Il fond sur le bout de la langue.

— Tu en veux un autre ? Il m'en reste pas mal.

— C'est très gentil, je n'ai pas faim.

— J'ai dit au Tunisien que c'était mon père qui m'envoyait et qu'il le payerait après.

Elle émit un petit rire avant de me confier :

— C'est pas vrai. Mon père n'est pas au courant.

— Tu t'appelles comment ?

— Pourquoi tu veux savoir comment je m'appelle ?

— Pour faire connaissance. Moi, c'est Mohammed. Aujourd'hui, c'est mon jour d'anniversaire.

À cet instant précis, je vis Volvo et Brahim qui revenaient du « quartier réservé » en compagnie de quatre autres Cadets. Ils s'arrêtèrent à l'autre bout du square pour nous observer, comme s'ils n'arrivaient pas à en croire leurs yeux, et poursuivirent leur chemin en nous jetant des regards appuyés par-dessus leurs épaules. Je fus soulagé de les voir disparaître au coin d'une rue.

— Ce sont mes camarades de classe, expliquai-je à la fille. Des gars bien. Des futurs officiers.

Elle haussa les épaules en continuant de manger.

— Tu habites dans les parages ?

Elle montra une direction d'un geste vague.

— Tu es dans quel lycée ?

— Je ne vais plus à l'école.

— Pourquoi ?

— Mon père dit que ce n'est pas pour moi. C'est pas ma faute si tout le monde se moque de moi pendant la récré. Je comprends tout de travers, qu'ils disent. Moi, je m'en fiche. Je suis bien à la maison. Je fais des courses, et ma mère me donne des sous pour me récompenser.

— Il y a des méchants dans toutes les écoles, tu sais ? Ce n'est pas une raison pour abandonner les études.

— Issam m'embête tout le temps ! s'écria-t-elle sans prêter attention à mes propos. Il oublie où il met ses chaussettes et m'oblige à les chercher pour lui. Où veut-il que je les trouve, ses chaussettes, s'il ne sait pas lui-même où il les a cachées ? Moi, je sais où je mets mes affaires. Je n'embête personne.

Elle était jolie, cependant ses cheveux enrubannés n'importe comment, sa tenue négligée et l'impression qu'elle donnait d'être en décalage avec le monde qui l'entourait trahissaient quelque chose qui me mit aussitôt mal à l'aise. Elle devait avoir quatorze ou quinze ans, paraissait plus âgée, mais elle parlait comme si elle s'adressait à elle-même. Je me rendis compte alors qu'elle était un peu ingénue.

Soudain, elle se leva et se mit à courir vers une ruelle. Sans se retourner.

J'étais rentré vers 21 heures à l'école. Malheureux. Amer comme une défaite. D'habitude, le samedi soir, les dortoirs étaient en fête. Ce soir-là, un silence frustrant écrasait la chambrée. Mon ami Ikhlef m'attendait de pied ferme, les lèvres tordues. Brahim, Volvo et deux autres camarades me dévisageaient, tous les quatre sur le rebord d'un lit superposé.

— Je croyais qu'on n'avait pas de secrets l'un pour l'autre, m'apostropha Ikhlef.

— C'est la vérité.

— Pourquoi tu ne m'as rien dit ?

— À quel sujet ?

— Que tu partais à Blida rejoindre une fille. La lettre dont tu m'as parlé, ce matin, c'était la sienne ? Elle t'a écrit pour te fixer rendez-vous aujourd'hui, n'est-ce pas ?

— Que veux-tu qu'il te dise ? lui lança Brahim. Il avait peur, avec la gueule qu'il a, que le dernier d'entre nous lui chipe sa copine.

— Pourquoi ne m'as-tu jamais parlé d'elle ? revint à la charge Ikhlef.

— Quand il m'a dit qu'il avait rendez-vous avec une fille, renchérit Volvo, je ne l'ai pas cru. Brahim a raison. Quand on tire le bon numéro, il ne faut pas le crier sur les toits si on veut se préserver du mauvais œil. Parce qu'elle est sacrément jolie, la copine.

— Tu la connais depuis quand ? me harcela Ikhlef, sourd aux commentaires des autres.

— Laisse tomber, lui dis-je. Je suis crevé et j'ai besoin de me pieuter.

— C'est elle qui t'a crevé ? ironisa Brahim. Vous l'avez fait où ? Chez elle ou bien sur le banc ?

Le lendemain, toute ma classe apprit la nouvelle. « Mohammed s'est dégotté un joli brin de fille. » La rumeur gagna la compagnie, puis le groupement et, avant la tombée de la nuit, presque toute l'école était au courant que j'avais conquis le cœur d'une blondinette, non d'une brunette, non d'une rouquine incendiaire, car chacun y allait de sa petite version corsée à l'envi. Je m'aperçus que cette grossière méprise me seyait comme un gant, qu'elle m'élevait de plusieurs crans dans l'estime des Cadets ; je laissai la rumeur me tailler une légende sur mesure.

Ikhlef m'accula dans un coin et me somma de m'expliquer. Je m'attendais à cette épreuve et je m'y étais préparé :

— Tu te rappelles quand j'ai été privé de vacances pour avoir vandalisé le réfectoire ? Vous étiez tous rentrés dans vos familles pendant que, moi, j'étais à deux doigts de disjoncter à force d'arpenter de long en large l'école vide. Un matin, après le pointage, j'ai décidé de déserter pour me rendre n'importe où. À Boufarik, ou Tipaza, ou Bou Ismaïl, n'importe où. Comme je n'avais pas de sous, j'ai fait de l'autostop. Une dame m'a ramassé sur la route. Il y avait sa fille assise sur le siège de devant, à côté d'elle. C'est elle, Anissa.

— Et ça a été le coup de foudre ?

— Pas tout de suite. La dame m'a demandé qui j'étais, ce que je faisais, ce que je comptais devenir plus tard. Je lui ai raconté un tas d'histoires qui l'ont bouleversée. Elle m'a demandé si elle pouvait m'inviter chez elle. J'ai accepté. Elle voulait me garder à dîner, mais j'avais peur de manquer le pointage du soir. Je lui ai promis de revenir le lendemain si elle n'y voyait pas d'inconvénient. Je suis retourné la voir le lendemain et tous les jours d'après jusqu'à la fin des vacances. C'est comme ça qu'Anissa et moi, on s'est attachés l'un à l'autre. Je pensais que c'était juste une amourette de passage et qu'elle allait m'oublier. Puis, j'ai reçu la lettre. Anissa m'a écrit pour me dire que je lui manquais et qu'elle serait heureuse si je la retrouvais le samedi, à l'endroit habituel. Alors, j'ai sauté dans l'autocar pour la rejoindre.

— Waouh ! Quelle histoire ! C'est vrai qu'elle est mignonne ?

— Si tu voyais les yeux qu'elle a. On dirait des joyaux. En plus, elle est très gentille. Et raffinée. Sa mère est une femme d'affaires. Elle est tout le temps dans un avion à parcourir le monde.

J'ai toujours eu une imagination débordante, mais ce jour-là, je m'y étais dilué totalement. Anissa me devint plus vraie que tout ce que je pouvais voir de mes propres yeux et toucher du bout de mes doigts. J'étais pris à mon propre jeu, piégé jusqu'au cou par une « idylle » virtuelle qui sonnait à mes oreilles plus fort que le clairon de l'extinction des feux. Les nuits ne m'étaient plus des fractures ouvertes ; elles étaient mes retraites monastiques où je me sentais aussi léger qu'un bonze en lévitation.

Le samedi suivant, je repris mon voyage à Blida.

À mon retour, ma chambrée était pleine de Cadets venus s'enquérir de mes retrouvailles avec Anissa.

— Tu as couché avec elle ?

— Pour le moment, on ne fait que s'embrasser sur la bouche, leur confiai-je sur un ton qui laissait supposer que les choses ne s'étaient pas limitées à des flirts.

D'un coup, je me mis à recevoir des lettres d'Anissa. Deux par semaine. À l'heure de la distribution du courrier, mes camarades n'attendaient que l'appel de mon nom. Je sortais des rangs, claquais des talons en portant la main à ma tempe dans un salut gaillard, ensuite, la lettre brandie en trophée, je m'isolais sous le préau pour la lire et la relire jusqu'à l'apprendre par cœur. Mes camarades m'observaient de loin, jaloux et admiratifs à la fois.

J'étais devenu quelqu'un d'autre. Quelqu'un de bien. J'avais renoncé aux insubordinations ; mon treillis n'était plus débraillé ; je ne traînais plus la godasse ; mes notes en classe s'étaient améliorées dans presque toutes les matières.

Mes voyages à Blida se multiplièrent. Je m'y rendais les jours fériés et chaque fois que l'occasion se présentait. Ce n'était plus un aller-retour dans la journée. Je passais la nuit du samedi à dimanche dans un hammam qui faisait office d'hôtel de transit pour voyageurs désargentés afin de faire croire à mes camarades que, la veille, j'avais dormi dans les bras d'Anissa.

— Tu as couché avec elle ? s'extasiait Brahim, qui s'abreuvait à mes lèvres comme tète le sein de sa mère un nourrisson.

Dans la chambrée pleine de mes camarades, on aurait entendu une mouche voler. Les oreilles dressées, le souffle coupé, on m'écoutait avec une insoutenable assiduité. Et moi, héros intraitable de mon épopée amoureuse, je donnais libre cours à mes élucubrations, certain que chacune de mes confidences s'absorbait avec autant de ferveur que parole d'Évangile. Je relatais, avec moult détails, les ébats torrides auxquels nous nous livrions, Anissa et moi, les baisers voraces qui nous faisaient planer comme des bouffées d'opium, les mots que nous nous disions tandis que l'orgasme nous faisait délirer. Mes camarades salivaient autour de moi, enserrés dans leurs fantasmes à eux, semblables à des loups hallucinés.

Le feuilleton de mes voyages à Blida tint en haleine les Cadets durant plusieurs mois.

Un matin, je constatai que quelqu'un avait forcé le cadenas de mon tiroir. On n'avait rien volé, mais mes affaires avaient été fouillées méthodiquement.

L'été approchait, et avec lui les grandes vacances. À l'école, les examens de fin d'année avaient commencé. J'avais de bonnes notes et toutes les raisons de croire que la vie se faisait belle pour moi. Un samedi de fin mai, je pris l'autocar pour Blida tard dans l'après-midi. Je n'avais pas suffisamment de sous pour m'offrir autre chose qu'une nuitée au hammam. Après avoir flâné dans les rues, je me réfugiai au bain maure où j'avais l'habitude de descendre.

Le gérant avait appris à me connaître. Il me prenait pour un orphelin de la guerre de Libération (à l'instar des Cadets) et me faisait souvent crédit. Il lui arrivait, parfois, de partager son souper avec moi.

Il était environ 22 heures. Les derniers clients finissaient de se laver. Quelques retardataires se délassaient sur les nattes matelassées, enveloppés dans de larges pagnes. Bientôt, il ne resta dans le grand vestiaire que les pensionnaires transitaires, en majorité des paysans sur la paille venus en ville chercher du travail.

Le gérant m'avait réservé ma couchette habituelle, un peu à l'écart dans une sorte d'alcôve. Je m'apprêtais à me déshabiller pour me mettre au lit quand mon cœur manqua d'exploser. Une sueur froide me glaça de la tête aux pieds : mon ami Ikhlef était là, debout contre le comptoir, les bras croisés sur la poitrine. Le mélange de chagrin et d'indignation que je lus dans son regard me terrifia. Si la terre s'était ouverte sous mes pieds à cet instant, elle m'aurait ingurgité pour me vomir aussitôt comme un aliment avarié. J'étais tétanisé, anéanti. Je compris tout de suite que mon conte de fées venait de négocier son dernier virage, que je ne pourrais plus me regarder dans une glace sans en pâtir. Un ressac de honte remua mes tripes avant de se répandre à travers mon être tel un souffle maléfique.

— Rhabille-toi et suis-moi, me somma Ikhlef.

Je m'exécutai avec la résignation d'un voleur pris la main dans le sac.

Dans l'autocar qui nous ramenait à Koléa, Ikhlef m'avoua que le cirque grotesque dans lequel je m'étais coupé de la réalité l'avait beaucoup peiné.

— Je craignais que ça ne tourne au vinaigre, Mohammed. Je ne te reconnaissais plus. Tu étais comme un rat pris à son propre piège. Il fallait que tu t'éveilles à toi-même.

— Comment tu as su ?

— Tu prétends passer tes nuits dans les bras d'Anissa alors que tu n'as même pas une photo d'elle. Tes histoires de coucherie ne me rentraient pas dans le crâne. Je te connais mieux que personne. Je suis ton meilleur ami. Tu m'aurais mis dans la confidence. Si tu ne m'as jamais parlé de cette fille, c'est parce qu'elle n'existait pas. C'est moi qui ai fait sauter le cadenas de ton tiroir. Je voulais jeter un coup d'œil sur ces fameuses lettres d'amour que t'adressait ta dulcinée. Tu ne t'es même pas donné la peine de modifier ton écriture, Mohammed… J'avais un soupçon depuis le début. Je te voyais faire le mur pour aller poster tes lettres en ville alors que nous avons un vaguemestre et une boîte aux lettres à l'école. Ce n'était pas normal. J'en ai déduit que c'était sans doute pour poster des lettres que tu écrivais à toi-même… C'était pathétique. Et stupide. Ce matin, j'ai dit *basta*. Il fallait que je te sorte de là. Je t'ai suivi à la trace de Koléa jusqu'ici. Je me suis ruiné, car j'ai dû payer un taxi pour filer l'autocar que tu avais pris. Je t'ai vu errer dans les rues comme un vagabond, et quand tu t'es rendu au hammam, j'ai tout compris.

Ainsi s'acheva mon feuilleton avec Anissa.

Ikhlef ne me trahirait pas. Plus tard, il dirait que je lui avais présenté Anissa, qu'Anissa était très jolie. Ce serait encore lui qui expliquerait à nos camarades, que si mes rendez-vous avec Anissa avaient subitement cessé, c'était parce qu'Anissa était partie avec sa mère dans une autre ville sans laisser d'adresse.

De mon côté, je n'ai jamais pardonné à Ikhlef de m'avoir ramené sur terre.

Alexandra LAPIERRE

Le Voyage de ma vie...

Alexandra Lapierre est l'une des seules romancières françaises à enquêter sur le terrain. Pour redonner vie à ses personnages, elle les suit à la trace sur tous les lieux de leurs incroyables aventures, s'imprégnant des couleurs, des odeurs, et fouillant les bibliothèques du monde entier. Elle a reçu de nombreuses récompenses dont, entre autres, le Grand Prix des Lectrices de *ELLE* pour *Fanny Stevenson*, le Prix *Historia* pour *Je te vois reine des quatre parties du monde*, ou encore le Grand Prix de l'héroïne *Madame Figaro* pour *Moura : la mémoire incendiée*. Récemment elle a publié *Avec toute ma colère* aux Éditions Flammarion.

> « Pour triompher, le mal
> n'a besoin que de l'inaction
> des hommes de bien. »
>
> Edmund Burke

Qui a dit que la jeunesse d'une femme devait se terminer avec les horreurs d'un cancer et le décès de l'homme qu'elle avait aimé durant trente ans ? Et que, au terme de la longue maladie d'un être cher, on ne se remettait jamais de ce deuil ?

Je dois toutefois reconnaître que les dix années qui ont suivi la disparition de mon mari m'ont donné la conviction que j'étais morte à moi-même et morte au monde. Mes amies, même les plus sensibles, mes filles, même les plus attentionnées, n'ont pas idée du sentiment de solitude dont je parle – une solitude qui vous fait hurler de désespoir la nuit, comme un chien qu'on torture. Une solitude qu'aucun coup de fil, aucune invitation, aucun voyage ne peut soulager. Mal, mal, mal partout. Et mal avec tout le monde.

Je me souviens de ces déplacements frénétiques, dans l'espoir que ma douleur soit plus supportable ailleurs, mes virées à droite, à gauche, mes séjours chez les uns, chez les autres, seule ou avec une copine, qui tentaient de meubler mon vide... Une danse de Saint-Guy totalement inutile car, à peine arrivée quelque part, je m'y sentais tellement étrangère que je n'aspirais qu'à rentrer chez moi pour repartir ailleurs. Seul le trajet entre deux destinations me donnait l'impression d'être reliée à ces vivants que je ne parvenais plus à rejoindre. À dire vrai, leur simple existence achevait de me rejeter parmi les ombres. Quant à eux, mes proches, ils ne mesuraient pas l'abîme qui me séparait de leurs rires, de leurs soucis, de leur chaleur humaine. Et quand je parle d'abîme, je devrais plutôt parler de mon incapacité à partager quoi que ce soit avec eux. Je reconnaissais leur gentillesse mais je ne la ressentais pas. Et même, je leur en voulais de cette gentillesse dont ils avaient, eux, conservé la possibilité.

C'est drôle, combien les gens heureux (je devrais plutôt dire, ceux qui ne sont pas malheureux) n'ont aucune imagination. Ils ne conçoivent pas un instant le désarroi d'autrui face à leur bien-être. En m'accueillant dans leur cercle de façon trop bruyante et trop ostentatoire, ils prétendaient m'aider et croyaient m'inclure. Alors que jamais je ne me suis sentie plus isolée qu'en leur compagnie. Elle m'était aussi intolérable que ces affreux week-ends sans un coup de fil ou sans une rencontre.

Bref, je touchais le fond et n'en remontais pas. Et ma cousine Cécile avait beau me dire qu'il fallait laisser du temps au temps, que dans un an, deux, trois peut-être, je serais de nouveau capable de jouir de la beauté d'un paysage, du soleil sur les toits de Paris, de la lumière du Midi sur la mer – cette promesse de guérison n'arrivait pas.

Je me remémorais alors que mon mari, cet homme dont la présence me manquait tant, n'avait pas toujours été tendre avec moi. Je me disais que sa maladie l'avait même rendu irritable et injuste. Que ces années de lutte contre son cancer – ces années durant lesquelles je l'avais accompagné dans son calvaire, partageant sa terreur lors des séances de chimiothérapie, combattant avec lui les effets secondaires, travaillant sans relâche à soulager son angoisse et ses souffrances – m'avaient détruite.

Je me persuadais qu'il me fallait maintenant transformer l'échec final de sa mort en une renaissance.

Peine perdue. Rien ne marchait. Et je m'enfonçais dans cette solitude de chien.

En parlant de chien, justement, je me disais que je devrais peut-être en adopter un, les animaux restant les seuls êtres avec lesquels je me sentais un vague point commun. Et puis il y avait autre chose : j'avais atteint l'âge de la retraite et je savais que cette nouvelle ère me porterait un coup fatal. Si j'avais souffert de ma solitude parmi mes collègues au bureau, qu'en serait-il de mon isolement à la maison, quand je m'arrêterais de travailler ?

Hasard ou nécessité, lors d'une de mes sorties à la campagne chez ma cousine Cécile, sa voisine lui confia son border-terrier. La voisine déménageait à New York et ne savait plus qu'en faire. On me le proposa... C'était une bête ni trop jeune, ni trop vieille, ni trop grande, ni trop petite, dont on me vanta les qualités. À la fois rustique et capable de vivre en appartement, pouvant facilement voyager avec son maître malgré ce qu'en disait la voisine. J'argumentais que je n'aimais que les molosses. Pas de problème, me répondait-on. En dépit de sa taille, Bidule n'avait rien du toutou, rien du roquet à sa mémère : un vrai chien au poil dru et aux sourcils broussailleux. Pour ma part, j'étais molle, sans volonté : j'écourtai comme d'habitude mon séjour, mais repartis avec l'animal.

Un fil à la patte, c'était le cas le dire.

Obligée de le sortir trois fois par jour, et souvent tard le soir. Si l'idée avait été d'occuper ma retraite, j'étais définitivement entrée dans le troisième âge avec ce « Bidule » au bout de sa laisse. Pas de doute : je ressemblais aux vieilles dames que je croisais au crépuscule, armées de leur gant en plastique et de leur sac à excréments.

L'avantage, tout de même, c'était que ce chien m'obligeait à prendre l'air et à faire de l'exercice, chose que j'avais totalement négligée depuis mon veuvage. J'avais bien essayé de me mettre au yoga mais, dans l'état déplorable où je me trouvais, les cours collectifs comme les cours particuliers ne m'avaient pas réussi.

En vérité, je n'ai jamais été une grande sportive. Physiquement, je suis plutôt petite et moyennement bien foutue. Mais j'ai – j'avais – ce qu'on appelle un joli minois et, dans ma jeunesse, je passais pour très sexy.

Bien que je sois une sentimentale, bien que j'aie besoin d'être amoureuse et bien que le nombre de mes amants se compte sur les doigts de mes deux mains, j'adore la compagnie de la gent masculine.

Ces messieurs le sentent et l'ont toujours senti. Quelque chose de réciproquement instinctif. En vérité, j'ai besoin d'un homme.

C'est peut-être la raison pour laquelle la présence de mon mari me manquait tant. Ce besoin d'un homme... totalement insatisfait durant ces dix ans de veuvage, où pas un mâle ne m'avait attirée. Et pourtant Dieu sait si Cécile avait tenté de me fourguer ses copains – veufs eux aussi –, tous en mal d'infirmière ou de gouvernante ! Sans parler de ses vieux potes célibataires qui n'avaient jamais fait leur coming-out !

Pour en revenir à mon âge et à ma personne, je ne me sentais plus capable, à soixante ans, de la moindre séduction. Ni même capable d'être séduite par quiconque.

Il ne faut jamais dire : fontaine, je ne boirai pas de ton eau.

J'en viens au miracle...

En cette nuit d'août, entre les rares voitures garées le long du trottoir sur le boulevard Pereire, je promenais Bidule. Je détestais ramasser ses crottes et le suppliais de faire ses besoins sans que personne nous voie. Il me comprenait parfaitement – à ce stade, nous étions devenus de grands complices – et s'accroupissait discrètement dans l'ombre des pare-chocs. Le malheur voulut qu'un autre maître, lui aussi sans ses gants ni son sac en plastique, cherchât un petit coin du même genre. Et que son chien fût une chienne en chaleur.

Je vous passe la suite.

De toute façon, vous ne me croiriez pas si je vous disais que la Bidulette de mon Bidule était aussi un border-terrier.

Et je pense que vous ne me croirez pas non plus sur le reste de l'aventure qui évoque un dessin animé bien connu, ou le plus cliché des romans à l'eau de rose.

Quoi qu'il en soit, je retrouvai, grâce aux amours de Bidule et Bidulette, l'un des médecins qui avaient soigné mon mari dix ans plus tôt. Le seul que j'avais trouvé prêt à nous expliquer les protocoles de traitement, prêt à nous prévenir des possibles effets secondaires et à répondre à nos questions. Bref, le seul « spécialiste » un peu humain, durant cette abominable épreuve… Dire qu'il m'avait plu à l'époque serait une exagération : je ne l'avais même pas regardé. En dépit de son « humanité », il m'avait semblé plutôt froid… Dire qu'il me plut ce soir-là serait aussi une exagération, car ma première impression fut de le trouver « vieux ». Mais justement, ses soixante-dix ans me rassurèrent, car j'acceptai de le revoir.

Passant d'un verre le lendemain à un déjeuner le jour suivant, puis à un cinéma et à un dîner ensuite… nous ne nous quittâmes plus de l'été.

Je dois tout de même avouer que nous nous montrâmes prudents. Nous avons progressé pas à pas.

Il faudrait que je vous parle de lui. Jacques est en effet plus âgé que moi d'une dizaine d'années. Et divorcé. Et retraité. Très sec, très maigre, très grand, plutôt austère et sobre d'aspect, il incarne quelque chose de la distinction des Anglais d'autrefois. En dépit de son flegme, il n'a rien de *british*. Il a grandi à l'île Maurice, dans une famille de planteurs français : il est même un lointain parent de la *dame créole* du poème de Baudelaire. Pour ce qui touche à nos goûts, nous partageons ceux de la poésie, de la musique, et des westerns. Oui, oui, des westerns, en dépit de son horreur de la violence. Et bien d'autres intérêts encore... J'apprécie sa rigueur morale, son aversion pour les grands gestes et les grands cris. En un mot : je crois que nous avons tous les deux trouvé la forme de compagnonnage qui nous convient.

Aujourd'hui, vingt-quatre mois après notre rencontre entre deux chiens et deux voitures, les jeux sont faits : je pars le rejoindre sur son île. Il m'attend avec les border-terriers chez sa sœur qui vit toujours là-bas, dans leur grande maison ancestrale au milieu des champs de canne à sucre. Ce séjour auprès d'elle, qu'il m'a décrite comme une personne un peu réactionnaire et très catholique – elle a passé toute sa scolarité dans un couvent en Espagne –, est une introduction de poids dans son univers. Jusqu'à présent, nous n'avons mêlé, ni l'un ni l'autre, nos familles à notre liaison. Si nos enfants respectifs la connaissent pour avoir dîné avec nous quelquefois, nous avons soigneusement évité les endroits liés à nos deux passés.

Cependant, malgré les non-dits de Jacques, sa pudeur et son quant-à-soi, je sais combien l'île de sa jeunesse et sa relation avec sa sœur comptent.

Sentimentalement, j'en connais le prix.

En vérité, je ressens cette escapade vers lui comme le voyage de ma vie.

*
* *

Parfait. Tout est parfait ce soir.

Au guichet de l'enregistrement du vol de 16 h 20 à destination de Plaisance, on vient de m'annoncer que les *miles* sur ma carte de fidélité me permettent d'être surclassée. Onze heures de délices en *business class*. Champagne, caviar… Puis l'arrivée au paradis, avec la haute silhouette de Jacques parmi les sourires des Mauriciens. Cliché, cliché, cliché : je sais. Mais je m'en fiche. À l'aube, le bonheur sera là.

Coup de chance ultime, j'ai un siège près du hublot. J'adore le hublot en avion pour les levers de soleil ! L'idéal serait que la place à côté de moi reste libre (la seule fois où j'ai déjà voyagé en *business*, un type m'avait fait du pied pendant tout le voyage). Toutefois, j'ai encore de la veine : ma voisine est une femme très urbaine, qui s'assoit délicatement en me disant qu'elle est « ravie de partager ce déplacement avec moi » et qu'elle espère « ne pas trop me déranger ».

Et en plus, nous décollons à l'heure. Que demande le peuple ?

On a beau répéter que les gens sont devenus mal élevés, ma compagne de voyage contredit tous les adages sur l'incivilité du monde contemporain. On ne peut rêver plus aimable ! Les stewards et les hôtesses qui veillent sur notre confort ont perçu sa courtoisie dans la seconde. Et plus encore… Il y a chez cette femme une exquise politesse qui va beaucoup plus loin que mes simples « merci » quand on nous sert le dîner. En plus, elle est élégante !

Et jolie. Elle peut bien avoir mon âge, elle a gardé son allure de jeune fille. Elle n'en a pas seulement la minceur : l'ovale de son visage, qu'encadre une épaisse chevelure châtaine qui lui tombe aux épaules, est intact. Pas de double menton, pas de bajoue. Et le botox et la chirurgie n'y sont pour rien. Ou alors, son esthéticienne est un génie : elle a laissé partout de légères ridules qui trahissent le passage du temps. Les yeux sont marqués de fines pattes-d'oie et la bouche de petits sillons. Mais les lèvres restent rondes, pulpeuses, sans autre artifice qu'un rouge subtil. L'hôtesse qui nous distribue « La Trousse Confort et Bien-être de Clarins » ne peut s'empêcher d'ajouter à son intention : « Vous, madame, avec un teint aussi superbe, vous n'aurez pas besoin d'hydrater votre peau durant le vol ! »

Le sourire qui accueille cette remarque et la voix qui retourne la louange n'ont d'égal que la gentillesse du compliment. Ce même sourire plein de charme, en recevant des mains du chef de cabine notre oreiller en plumes, cette même voix pleine de douceur, en le remerciant pour la couette dont il nous recouvre, m'enveloppent moi aussi dans un cocon moelleux – quelle grâce, quelle présence, quelle attention aux autres !

Il y a pourtant dans ce déploiement d'amabilité un je-ne-sais-quoi qui me dérange.

Nous sirotons nos tisanes, toutes deux allongées sur nos sièges-lits. Je lui lance des regards furtifs.

Impossible de me concentrer sur le film que nous regardons sur nos écrans – bizarrement, parmi les cinquante propositions, nous avons choisi le même : *All about Eve,* de Mankiewicz... Ce front bombé, ce nez droit, cette coiffure au carré... Décidément, ce profil me dit quelque chose. Je jette un coup d'œil à sa main gauche sur l'accoudoir. Des gourmettes en or. Pas d'alliance, mais un diamant : une ancienne bague de fiançailles. Je reviens à la silhouette qui se découpe dans l'obscurité.

Et soudain, du fin fond de ma mémoire remonte une autre image. Celle d'une fillette plus mûre que moi, et plus grande d'une tête. Nous avons dix, douze, quatorze, seize ans, et nous sommes toujours dans la même classe et toujours assises au même bureau lors des rentrées scolaires. Et pour cause ! Nos deux noms de famille commencent par la même lettre. Je m'appelle Anne Martin. Elle, Laetitia de Marbeillac.

Laetitia ! Serait-ce possible ? Je coule un nouveau regard sur ma voisine. Bien sûr, c'est Laetitia…

M'a-t-elle reconnue ? Non. J'ai changé, moi. M'eût-elle reconnue, aucun doute là-dessus, qu'elle m'aurait déjà étouffé sous les effusions. C'était son habitude, m'étouffer. Dans les petites classes, cette charmante enfant n'était pas la personne subtile qu'elle allait devenir : en cour de récréation, elle jouait brutalement. Nous étions pourtant dans une école de filles où la castagne n'était pas de rigueur. Peu lui importait : elle profitait de sa haute taille et de sa force pour expérimenter sur moi les prises de judo que lui apprenait son frère. Je ne plaisante pas : la douce Laetitia de Marbeillac m'a cassé la figure un nombre incalculable de fois. Elle le faisait dans un coin, discrètement, s'amusant à m'étrangler sans que nul s'en aperçoive. Je garde un souvenir cuisant de l'étreinte de son bras sur ma gorge, ce bras qui m'a donné l'impression de mourir au moins un jour par semaine, durant toute mon enfance.

La terreur, l'épouvante en perdant le souffle... Je ne songeais pas à m'en plaindre. Je me contentais de la craindre et de la fuir. Résultat, elle le sentait, et me recherchait. Tout le monde voyait dans cet intérêt de Laetitia à mon égard une preuve d'amitié. Pour ma part, je ne me faisais aucune illusion. J'étais son souffre-douleur.

Je ne confiais ma peur ni à mes camarades ni aux adultes. Et je ne rapportais pas non plus chez moi que les traces rouges sur mes doigts et les bleus sur mes cuisses, je les devais aux pinçons et aux coups de règle en fer qu'elle me dispensait en classe, sous la table. Et à ses gnons à la récré.

L'atmosphère chez mes parents ressemblait sans doute à celle qu'avaient connue Jacques et sa sœur sur leur île : un refus absolu des grands gestes et des grands cris. Dans ma famille à Paris comme dans la sienne à Maurice, *never complain, never explain...*

En plus, mon père et celui de Laetitia se connaissaient. Et, comme si l'école ne suffisait pas, ma mère invitait souvent « la petite Marbeillac » à venir déjeuner et passer le mercredi chez nous. J'avais beau m'y opposer, nul n'entendait mes protestations. La petite Marbeillac était si mignonne ! Si bien élevée !

Je me taisais donc, et nos « jeux » dans ma chambre ne dérangeaient personne. Qui se serait douté que Laetitia, si bien élevée, si mignonne, s'était emparée du carton où la télévision venait d'être livrée, qu'elle m'y avait enfermée et qu'elle s'était assise sur la boîte durant toute une après-midi, histoire de m'empêcher *un peu* de... respirer ? Ma panique fut telle ce mercredi-là que j'en suis restée complètement claustrophobe.

Ses cruautés durèrent ainsi trois ou quatre ans, jusqu'au jour où j'eus suffisamment grandi, en quatrième, pour pouvoir me défendre. Je me souviens notamment de la série de gifles que je lui assenais dans les toilettes, alors qu'elle cherchait à m'y coincer... De gigantesques allers et retours dont je restais moi-même stupéfaite.

Elle ne réagit pas. Je crois qu'elle fut au moins aussi surprise que moi. Quand je m'arrêtai de la claquer, elle se contenta de porter la main à sa joue. Elle me dévisagea un instant. Puis elle tourna les talons.

Et, de ce jour, tout changea. L'enfant sadique se transforma en une camarade si « normale » que je ne pus lui demander aucune explication. J'en aurais été, de toute façon, incapable. De par mon éducation, je ne savais pas – je ne sais toujours pas ! – faire de scène... à part l'incroyable épisode des gifles.

Mais je crois bien n'avoir jamais provoqué d'autres éclats. Mon mari, qui était colérique, me reprochait d'être trop bien élevée. Il aurait souhaité que je sache faire preuve, sinon de violence, du moins d'un peu d'agressivité.

En vérité, j'ai horreur des conflits. J'en garde chaque fois un vague sentiment de culpabilité. Et Laetitia semblait maintenant devenue tellement gentille à mon égard, tellement correcte, que je n'osai même pas lui en vouloir.

Comme si rien ne s'était jamais passé.

Durant notre adolescence, nous n'évoquâmes ni ses roustes dans la cour ni mes gifles aux toilettes. Au point que je finis moi-même par douter de leur existence et par les oublier.

Je n'irais pas jusqu'à dire que Laetitia devint mon intime. Je restais méfiante. Elle n'était pas, et ne serait jamais, mon amie de cœur. Encore moins ma confidente. Mais elle travaillait à me conquérir et continuait d'exercer sur moi une forme de pouvoir.

Ah, le goût du pouvoir de Laetitia ! En fait, elle avait juste changé de technique. Elle n'usait plus de la force mais de la flatterie. Tout était prétexte à ses compliments : mes réussites scolaires, mon charme, mes nouveaux habits, mon bronzage... Alors qu'elle était de loin la plus jolie, elle affectait à mon égard un immense enthousiasme, m'assurant sans cesse de son admiration pour mon intelligence et me couvrant d'éloges sur ma grâce.

Je me délectais des coups d'encensoir dont elle m'enveloppait.

Avec le temps, nous nous découvrîmes des centres d'intérêt communs. J'adorais le théâtre et elle était une excellente comédienne. Nous courûmes ensemble les salles de spectacle et montâmes des pièces. En première, à la représentation de fin d'année, le tandem « Martin-Marbeillac » fit un tabac. J'étais l'auteur du texte, et Laetitia tenait le rôle principal. Son éclat sur scène, son incroyable présence mirent tout le lycée à ses pieds. Une actrice hors pair.

Loin de paraître consciente de son succès, elle le minimisait et renvoyait les louanges de ses admirateurs sur ses partenaires. Jamais je n'ai vu de star plus charitable ni plus humble. Je dois admettre que, même si je sentais que sa modestie faisait partie de son numéro, sa générosité forçait mon respect.

En vérité, je ne partageais pas toujours ses goûts – à l'époque, elle sortait avec un type que je trouvais aussi snob que rasoir –, mais je reconnaissais son talent. Et sa force de séduction me fascinait. Même nos professeurs y succombaient. Laetitia n'était pourtant pas bonne élève. Il faut dire qu'elle sortait tous les soirs et courait les boîtes de nuit. Sa beauté lui valait les honneurs de *Vogue*. On l'y voyait en photo chez Castel avec son petit ami qui portait un nom à tiroirs. Il n'était pas le seul à jouir de ses faveurs. Des jeunes, des vieux, des moches, des mignons, Laetitia couchait avec qui lui plaisait. Elle avait toutefois une nette préférence pour les riches et les mecs difficiles à conquérir. En vraie courtisane, elle donnait à chacun l'impression d'être le préféré.

Son manège m'amusait.

Pour ma part, j'étais très amoureuse d'un garçon qui habitait la campagne. Il voulait être médecin et détestait le bling-bling qui entourait ma vie parisienne. Lui aussi s'appelait Jacques... Je n'avais jamais fait le rapprochement. Mais quand j'y pense, cet amour de jeunesse ne me semble pas très différent de celui d'aujourd'hui. Le premier Jacques pouvait bien n'avoir que dix-sept ans, le second soixante-dix : le même genre de personnage. Épris, l'un comme l'autre, de silence et de paix, l'un comme l'autre détestant le clinquant. Tous deux de nature renfermée, ennemis des scènes et de toute forme de vulgarité. Le Jacques d'autrefois était en outre doté d'une totale intolérance à l'hypocrisie. Les fausses apparences lui hérissaient le poil.

Pourquoi les hommes les plus intègres se laissent-ils toujours subjuguer par LA fille la plus évidemment superficielle ?

Quand ai-je présenté Jacques à Laetitia ? Où ? Nous ne fréquentions pas les mêmes cercles. Peut-être à l'occasion du dix-huitième anniversaire de

« mademoiselle de Marbeillac » ? Ses parents avaient donné chez eux une boum très sophistiquée. Je redoutais beaucoup d'emmener Jacques dans cette sorte de soirée : il était du genre à s'essuyer les pieds pendant des heures sur le paillasson. Et à envoyer son poing à la figure du fils de bourgeois qui le traiterait de plouc. Il était aussi du genre à se sentir trop mal à l'aise pour danser ou faire la conversation. En vérité, sa gaucherie en de telles circonstances m'émouvait. J'aimais sa difficulté à communiquer avec des gens trop sûrs d'eux : j'y voyais une forme d'authenticité, très loin du milieu où Laetitia m'entraînait.

Elle nous repéra dans la seconde et, plantant son Jules au milieu d'un rock, nous fonça dessus. Je me souviens parfaitement de sa robe : un fourreau noir, très simple, mais digne de Lauren Bacall, à laquelle elle ressemblait de façon frappante. Impossible toutefois de me rappeler ce qu'elle dit à Jacques. Sans doute des louanges sur le beau couple que nous formions, notre élégance à tous les deux, le plaisir qu'elle avait à nous voir ensemble. Là-dessus, elle insista pour nous emmener sur la piste et, me collant dans les bras de son mec pour un slow, elle s'empara du mien.

Elle ne le lâcha pas de la nuit. Jacques sortit totalement ébloui de l'expérience et n'aspira plus qu'à la répéter.

Je tentai de contrer le danger en soulignant l'ambiguïté de Laetitia, son goût du pouvoir et sa réputation d'allumeuse. La reine du flirt. Peine perdue : lui, si sensible à la vérité, ne crut pas un mot de ce que je lui racontais. Pourtant, je m'en tins à la réalité la plus évidente. Je n'évoquai ni l'épisode des roustes dans la cour de récréation, ni les coups de règle sous la table, ni ma longue captivité dans le carton d'emballage de la télévision.

Quoi qu'il en soit, loin de le refroidir, mes discours ne firent que piquer sa curiosité... En vérité, le mal était fait, et je ne veux pas revenir trop longtemps sur cette histoire.

Elle se termina dans les larmes, quand Jacques m'avoua que je l'avais perdu durant cette soirée.

J'appris que, parmi dix autres, il était devenu son petit ami. Et aussi qu'il multipliait les scènes, lui qui professait le plus grand mépris pour les cocus de vaudeville et les jaloux de tragédie.

J'ignore comment se termina pour lui l'aventure. Quant à moi, j'en fus malade jusqu'à ma première année de fac. Je tentai bien, une fois, de confronter Laetitia : elle me répondit en souriant qu'elle ne m'avait enlevé personne. Et que, de toute façon, on ne prenait jamais que ce qui était à prendre. Elle conclut par une étreinte, un baiser et son pardon pour ma petite crise d'aigreur : *elle ne m'en voulait pas*.

Sur ces entrefaites, elle rata son bac et je pris bien garde de ne plus entendre parler d'elle.

Ah, si, je me souviens de quelques détails lors d'une réunion d'anciennes : j'appris qu'elle avait fini par épouser son Jules au nom à tiroirs, et qu'elle en avait divorcé. Qu'elle n'avait pas eu d'enfant. Qu'elle s'était remariée. Qu'elle avait de nouveau divorcé. Et qu'elle « chassait » toujours.

Aux yeux des filles du lycée devenues mères de famille, elle incarnait le plus parfait spécimen de la femme fatale qui semait la désolation parmi les épouses. Car les hommes qu'elle choisissait n'étaient jamais libres.

Mais ces nouvelles-là dataient déjà d'il y a vingt ans !

Je souriais dans la nuit. Ainsi, je me trouvais allongée aux côtés de ma vieille copine Laetitia... À un demi-siècle de distance, je pouvais enfin lui crêper le chignon. L'idée m'amusait. Le destin vous jouait de ces tours !

Elle avait éteint sa veilleuse et dormait. Allais-je la secouer, me nommer, renouer ? Pourquoi pas ? C'était toute notre enfance, toute notre jeunesse qui nous rattrapaient ici, au-dessus de l'océan Indien.

Étrangement, à la perspective de nos retrouvailles, j'étais presque émue.

Dans le bruit des moteurs, je n'entendais pas sa respiration. Juste le léger mouvement de la couette de plumes que son souffle gonflait.

Qu'allait-elle faire à l'île Maurice ?

Jacques m'avait parlé d'une invitée, une amie de sa sœur qui voyagerait sur le même avion que moi – se pouvait-il que ce soit elle ?

Avec son diamant et ses bracelets d'or, c'était bien le genre : elle avait toujours eu l'air si correcte ! Lui-même ne m'avait-il pas décrit sa sœur comme une dame bon chic bon genre, de dix ans plus jeune que lui – une personne à peu près de mon âge ?

L'âge de Laetitia de Marbeillac... Laquelle ne se rendait sûrement pas au bout du monde sans amis ni point de chute.

Cette femme à côté de moi, cette femme avec ses sourires et ses compliments qui avaient emballé les membres de l'équipage en cinq minutes : Dieu seul savait ce dont elle était capable ! Et Jacques, en dépit de son expérience de médecin, de tout ce qu'il connaissait des maux et des faiblesses de l'humanité, était resté si pur. Elle ne manquerait pas de déployer ses charmes pour le séduire.

Pauvre Jacques. Il ne résisterait pas longtemps à la fascination vénéneuse de ce serpent. Un boa constrictor.

Au souvenir de ses prises de judo et du slow collé-serré dont j'avais été le témoin et la victime, je suffoquais de nouveau. Les coups, les étouffements dans la cour de récréation... Je gardais, inscrite dans ma gorge, la marque de son étreinte... Penser qu'à l'époque, je n'avais rien dit, rien fait pour la combattre !

Rétrospectivement, ma passivité me révoltait. Je m'en voulais de ma lâcheté devant la violence et l'ambiguïté de cette fille. J'aurais dû en parler à mes camarades, à mes parents, j'aurais dû dénoncer son hystérie. Mais je m'étais tue. Et, par mon silence, j'avais accepté sa cruauté. Durant des années, j'avais même couvert tous ses actes !

Une phrase que mon mari se plaisait jadis à répéter, et dont il avait fait sa devise, me revenait à l'esprit : « Pour triompher, le mal n'a besoin que de l'inaction des hommes de bien. » L'idée tournait en boucle. Le mal n'a besoin que de l'inaction. J'aurais dû agir !

Les lumières de l'avion se rallumaient. Il était 4 heures du matin, on servait le petit déjeuner. Ma voisine, aussi fraîche et charmante au réveil qu'au décollage, tendit au steward son oreiller, félicitant le personnel de bord pour ce vol délicieux.

En dégustant son thé, elle ne manqua pas de prendre des nouvelles de mon sommeil. Je répondis par monosyllabes. Le moment des retrouvailles était passé. Je craignais maintenant qu'elle ne me reconnût et n'aspirais qu'à me débarrasser des impressions de la nuit. Par chance, on allait atterrir.

Dans la salle des bagages, devant les méandres du tapis, nous attendions nos valises. Je me tenais à distance. Je n'avais plus aucune envie d'entrer en contact avec elle. Je gardais même de mon voyage à ses côtés une impression pénible, comme celle d'un mauvais film... En tout cas d'un film qu'on n'a pas aimé. Notre enfance, que j'avais crue si totalement oubliée, était restée trop vivante.

Le sac à roulettes de Laetitia arriva le premier. Elle se dirigea vers la sortie, me saluant d'un au revoir sonore. Je le lui rendis poliment. Alors que s'ouvrait devant elle la double porte vitrée, j'aperçus, parmi la foule qui accueillait les voyageurs, la haute silhouette de Jacques. Il m'attendait, très droit derrière la barrière. Une personne d'un certain âge se tenait près de lui. Sa sœur. Elle portait un bouquet et faisait des petits signes de reconnaissance à quelqu'un... Laetitia. Elle les lui rendait. Mon intuition ne m'avait pas trompée. Elle était bien l'invitée qu'on m'avait annoncée.

Jacques. Lui aussi avait des fleurs dans les bras et Bidule au bout de sa laisse. Il riait. Jamais je ne l'avais vu rire ainsi. Un vrai rire de jeune homme qui vient d'apercevoir la femme qu'il aime.

Je repérais alors, de dos, Laetitia qui fonçait sur lui. Elle y allait droit. Mon sang se figea. Les mauvais souvenirs remontèrent d'un coup... Ah, elle n'allait pas me gâcher l'existence une troisième fois, cette garce !

Après toutes mes années de veuvage, ces années terribles hantées par la maladie et la mort, j'étais enfin sortie du tunnel. J'avais rencontré un compagnon que j'aimais. Un homme auquel je tenais.

Je ne revivrai pas ce cauchemar, je ne revivrai pas ce qu'avait été ma solitude !

Le mal n'a besoin que de l'inaction… Je saisis ma valise et me ruai à sa suite. En deux enjambées, je l'avais rattrapée.

Je la saisis par le bras et l'arrêtai net.

J'ignore ce qui m'arriva, d'où me vint cette voix. Et ces paroles, ces injures dont je ne savais même pas que je les connaissais. Je hurlai : « Si tu t'approches de lui, je te casse la gueule ! Je ne plaisante pas : je te mettrai une rouste dont tu ne te relèveras pas ! » Ce faisant, je la secouai violemment.

Aussi éberluée que lors de mes claques dans les toilettes, elle ne réagissait pas et se laissait bousculer… Comme à l'époque, elle n'esquissait aucun geste pour se défendre. Totalement sidérée. Et molle. Cette passivité ne l'avait toutefois pas empêchée de m'enlever, plus tard, le petit ami que j'adorais : « Ne t'avise pas de recommencer, ma petite ! » Je continuais à la secouer. Ses bracelets cliquetaient. Son brushing partait dans tous les sens. « … Tu m'entends, vieille pute de merde ? » Elle lâcha son sac à roulettes, dont la poignée heurta le carrelage dans un claquement : « Si tu oses toucher à Jacques, je te bute à l'acide ! »

« Mon Dieu ! criait la sœur derrière la barrière, mon Dieu, que se passe-t-il ? Qui est cette folle ? » Elle colla ses fleurs dans les bras de son frère et, repoussant la barrière, se précipita au secours de Laetitia.

« Lâchez-la ! » Elle m'empoigna les mains : « Mais lâchez-la ! »

L'ordre était si comminatoire que j'obéis.

« Ma chérie, ma chérie, ça va ? Ma chérie, répétait-elle en remettant de l'ordre dans la chevelure de Laetitia, en réajustant son chemisier, reboutonnant sa veste, ma pauvre chérie, quelle horreur ! Cette grossièreté... Monstrueux. Monstrueux. Quelle horreur !... Une malade, une hystérique ! » Laetitia, qui semblait trop ébranlée pour parler, acquiesçait de la tête et la laissait faire.

Jacques avait surgi au-dessus de nous. Je ne saurais décrire son expression. Un masque de marbre. Il avait raccourci la laisse de mon chien qu'il tenait serré, l'empêchant durement de me faire fête.

Il resta un instant immobile.

Puis, passant les deux bouquets sous son bras, il ramassa le sac de Laetitia.

Ses lèvres étaient blanches, fines, crispées par le choc et la colère. Il explosait d'une rage froide qui me calma dans la seconde.

« Qui est cette folle ? » demanda de nouveau sa sœur, posant la question à la cantonade.

Il répondit :

« La personne que j'étais venu attendre. »

Je vous fais grâce du regard scandalisé que lui jeta sa sœur. Elle se contenta d'achever les présentations :

« Et voici Béné, dont je t'avais tant parlé, mon Jacques : ma Béné, du temps où nous étudions chez les religieuses, en Espagne. »

En Espagne ?

« Oui... Mon amie d'enfance : Bénédicte Bonet. »

Agnès MARTIN-LUGAND

Un voyage dans le temps

Agnès Martin-Lugand est l'auteur de sept romans, tous salués par le public et la critique. Elle a conquis le cœur des lecteurs en France comme à l'étranger et est devenue en quelques années une romancière incontournable. Dès son premier roman, *Les gens heureux lisent et boivent du café*, elle a connu un immense succès. Son dernier ouvrage, *Une évidence*, a paru récemment aux Éditions Michel Lafon.

Éric et moi avions passé un superbe week-end en amoureux à la maison, nos enfants respectifs étaient chez leur autre parent. Tout aurait été merveilleux si je n'avais pas dû, à la dernière minute, aller récupérer mon fils Dimitri chez Fabrice, son père. Non pas que lui et moi nous entendions mal – abstraction faite de notre divorce quatre ans auparavant – mais, quand nous pouvions éviter de nous voir, de nous parler, de nous croiser tout simplement, nous ne nous en privions pas. Satisfaire les velléités d'indépendance de notre ado de seize ans en le laissant libre d'aller et venir entre chez ses parents nous facilitait la tâche. Jusqu'à ce soir... Dimi m'avait téléphoné un peu plus tôt pour me demander de venir le chercher, sans me fournir de réelles explications.

En me garant devant chez mon ex-mari, je donnai un petit coup de Klaxon. Les minutes défilèrent, ma voiture claironna une seconde fois. La porte s'ouvrit sur la silhouette de Fabrice qui m'envoya un signe de la main distant, je lui répondis d'une manière tout aussi lointaine. Par la vitre baissée, je l'entendis s'égosiller sur notre ado trop lent à son goût. Mon fils apparu enfin, la mine renfrognée. Ils échangèrent quelques mots, et Dimi tourna les talons, visiblement de mauvaise humeur. Je captai l'effarement combiné à l'inquiétude de son père. Que s'était-il passé entre eux ? Si je m'attendais à ce que Dimi me saute au cou et vienne chercher du réconfort auprès de sa mère, j'en fus pour mes frais ; il balança son sac à l'arrière, monta en marmonnant un vague « Salut, M'man » et claqua la portière. Je démarrai sans attendre. Plus nous nous rapprochions de chez nous, plus je sentais son exaspération enfler.

— Dimi... Vous vous êtes disputés ?

Il me lança un regard affligé.

— Vous me soûlez, toi et Papa !

— Pardon ?

Je passai le reste du trajet à m'énerver toute seule après lui, lui faisant la leçon sur la façon dont il était censé s'adresser à moi, il resta mutique. À peine arrivé, il s'extirpa de l'habitacle et fila à l'intérieur. Il salua gentiment Éric et disparut à la vitesse de l'éclair dans l'escalier.

Éric chercha à en savoir davantage pendant que nous patientions, Dimi se faisait attendre pour le dîner.

— Il n'a vraiment rien voulu te dire ? Ce n'est pas son genre, pourtant.

— Non, je te promets, à part que je le soûle. Mais je vois d'ici le tableau, il a dû avoir une prise de bec avec Fabrice, et c'est moi qui prends...

Je m'interrompis à l'arrivée de mon fils, toujours aussi fermé. La conversation du repas se résuma à une discussion sports dont j'étais totalement exclue. Depuis deux ans que nous habitions ensemble, ils avaient fini par s'entendre à merveille, ce qui ne pouvait que me réjouir. Je décidai de mettre les pieds dans le plat :

— Ça suffit, maintenant ! Vas-tu enfin me dire ce qui s'est passé ce week-end avec ton père ?

— Demande-lui toi-même.

— Pourquoi ? Tu peux me le dire ? Tu es grand !

— Je suis peut-être grand, mais je n'en peux plus que mes parents ne s'adressent plus la parole.

Il se tourna vers Éric :

— Ça n'a rien à voir avec toi... J'ai passé l'âge de vouloir que mes parents se remettent ensemble. Je veux juste les voir communiquer tous les deux de temps en temps...

— À quoi cela servirait-il ? m'emportai-je. Tu viens de dire que...

— Tant que j'étais petit, vous faisiez encore l'effort de vous souvenir que vous aviez un enfant en commun.

— Ne dis pas de bêtises !

— Pour une fois que tu viens me chercher chez lui, tu restes dans ta bagnole, et lui il se barricade et ne sort pas de sa baraque.

— On n'a rien à se dire, me défendis-je, tu vas bien. Tout roule.

Il leva les yeux au ciel, un pli d'amertume sur le visage.

— Maman, vous ne vous êtes même pas dit bonjour ! Et après, vous me balancez que c'est moi l'ado !

C'est vrai que, en y repensant, on devait être parfaitement ridicules, Fabrice et moi. Bravo l'exemple...

— Bon, écoute, Dimi, si ça peut te faire plaisir et te prouver qu'il n'y a aucun souci entre lui et moi, je vais lui téléphoner demain, et on ira déjeuner tous les trois.

Je lui offris mon plus beau sourire rassurant de maman, persuadée de le contenter. Il secoua la tête d'un air de dire que je n'allais pas m'en sortir avec une pirouette. Mon fils me connaissait trop bien.

— J'ai beaucoup mieux, Maman... Tu te souviens, il y a longtemps, vous m'aviez promis qu'on se ferait un voyage...

Je déglutis avec peine, les couverts d'Éric tombèrent dans son assiette avec fracas.

— Et tu vois, tu n'arrêtes pas de me demander ce que je veux pour mon anniversaire cet été, eh bien, c'est ça que je veux, qu'on parte tous les trois, un grand week-end, quatre jours max.

Comme si ce n'était pas déjà énorme !

— Il en est hors de question !

— Il est où le problème ? Papa vit avec Lucille, toi, tu as Éric, tout le monde est heureux, vous avez refait vos vies... Vous ne pouvez même pas réfléchir une seule petite minute à la possibilité de vous supporter quelques jours pour votre fils ! Incroyable... si c'est ça être adulte... vous ne faites pas envie... Vous faites chier !

Là-dessus, il repoussa brusquement sa chaise et disparut de la cuisine, je pris la mesure de sa rage à sa manière de monter l'escalier, lourde, bruyante. La porte de sa chambre claqua si violemment que la maison en trembla. Il n'y avait pas qu'elle qui tremblait, je n'étais pas en reste.

— Sophia... m'appela Éric.

Sa voix avait beau être douce, la tension était palpable. Je relevai les yeux vers lui à contrecœur.

Il était plus pâle qu'à l'accoutumée. Je voyais à quel point la demande de mon fils le remuait.

— Que vas-tu faire ? Je comprends que tu veuilles aider ton fils, tu sais que je l'adore... mais...

— Éric ! Comment peux-tu imaginer une seule seconde que j'envisage de partir en week-end avec Fabrice ?

— Pour Dimitri. Parce qu'il a l'air de souffrir et de vous en vouloir.

— Peut-être... Je reconnais qu'on fait en sorte de s'éviter avec son père depuis très longtemps, mais c'est parce que tout va bien. On va trouver une autre solution. Je connais assez Fabrice pour savoir qu'il n'a pas plus envie que moi de ce voyage sorti des souvenirs de notre fils. Éric, jamais je ne partirai en week-end prolongé avec lui.

— Ne promets rien, Sophia.

Je découvrais la crainte sur le visage de l'homme que j'aimais, c'était la première fois. Je ne voulais pas y penser et surtout ne pas me confronter à ce que je ressentirais si j'étais à sa place.

Fabrice ne parut pas étonné de recevoir un SMS de ma part le lendemain matin puisqu'il y répondit dans la minute. À quoi bon tarder ? La situation s'était suffisamment envenimée. Dimitri ne m'avait pas adressé la parole au petit déjeuner, il ne parlait plus qu'à Éric. Fabrice et moi étions convenus de nous retrouver pour un café vite fait pendant notre pause du midi. J'étais déjà installée lorsqu'il arriva. Pour une fois, j'étais à l'heure, même en avance, pressée de trouver une solution à notre problème. Il s'assit en face de moi, commanda quelque chose à boire et regarda partout sauf dans ma direction.

— Fabrice, craquai-je la première, qu'allons-nous faire pour Dimi ? Je n'ai pas fermé l'œil de la nuit à cause de sa demande. Tu en penses quoi ? On ne peut pas faire ça ? Il t'a dit quoi, ce week-end ? Réponds-moi !

— Encore faudrait-il que tu me laisses en placer une...

— Pardon... je suis sur les nerfs depuis hier.

Un petit sourire apparut sur son visage.

— Je te connais, Sophia, quand tu te mets à parler sans respirer, c'est que ça ne va pas...

— Et toi, tu te tais...

— Exact...

Il poussa un profond soupir en s'avachissant dans son fauteuil et me raconta leur week-end. Dimitri était passé à l'attaque dès le vendredi soir en lui confiant son envie qu'on parte tous les trois, ce à quoi Fabrice avait opposé un non catégorique. Les deux jours suivants avaient eu l'allure de guerre froide. Finalement, je ne m'en sortais pas si mal, notre fils m'avait donné plus de clés pour comprendre ce qui lui arrivait.

— Que cherche-t-il ? conclut Fabrice. Ce n'est pas comme si on passait notre temps à nous engueuler, je ne sais pas ce que tu en penses...

Il riva son regard inquiet au mien. Fabrice était perdu, je l'avais rarement vu dans cet état, ou si, peut-être aux premiers temps de notre séparation qui lui était tombée dessus sans qu'il s'en doute une seule seconde.

— On gère plutôt bien, insista-t-il, non ?

— Trop bien, peut-être.

— Comment peut-on gérer trop bien un divorce et la garde de ses enfants ?

— En étant des étrangers l'un pour l'autre... Ça fait combien de temps qu'on ne s'est pas parlé de vive voix, Fabrice ? Tu peux me le dire ? On n'échange que par textos. Regarde, pas plus tard qu'hier soir, qu'est-ce qui m'empêchait de sortir de ma voiture ou toi de venir vers moi ? C'est à peine si on se fait un signe de la main quand on se voit...

Son regard se perdit au loin de longs instants, je compris qu'il remontait le fil des derniers mois, peut-être même des dernières années. Nous nous étions l'un et l'autre concentrés sur nos nouvelles vies amoureuses, sur nos familles recomposées, persuadés que notre fils était heureux, ses parents ne se déchirant pas...

— Tu as raison, concéda-t-il.

— Ce qui nous arrange toi et moi lui fait du mal. On est égoïstes.

Fabrice inspira profondément, comme pour se donner du courage. Je savais ce qu'il allait m'annoncer. Je savais que nous n'avions pas le choix, mais je ne le voulais pas. Je n'imaginais pas ça possible, ni même envisageable une seule seconde. J'entendais la voix d'Éric, m'exhortant à ne rien promettre. Je suppliai par la pensée mon ex-mari de se taire. Il n'en fit rien.

— On doit lui offrir ce cadeau, Sophia.

Je plongeai le nez dans ma tasse, terrifiée. Peur de quoi ? Peur de qui ? Peur de quelle réaction ? Fabrice finit certainement par en avoir marre du bruit de la porcelaine qui s'entrechoquait. Il me retira des mains la soucoupe et la tasse que je tripotais compulsivement depuis de longues minutes.

— Regarde-moi, s'il te plaît.

Je lui obéis.

— Ça me met autant mal à l'aise que toi... C'est plus qu'étrange de songer qu'on va passer plusieurs jours ensemble, comme si nous formions encore une famille... mais je suis prêt à le faire pour Dimi...

— Moi aussi, bien évidemment, mais... Lucille, elle va réagir comment ?

— Je vais passer un sale quart d'heure... Et Éric ?

Éric resta impassible en m'entendant lui annoncer la décision que Fabrice et moi avions prise. Comme s'il avait toujours su, toujours compris que cela se finirait ainsi. Il tiqua légèrement lorsque je lui appris que nous avions choisi de battre le fer tant qu'il était chaud, que la situation était suffisamment gênante pour ne pas faire traîner les choses en longueur.

— Pourquoi ne pas attendre un peu ?

— C'est moi qui ai insisté, je veux me débarrasser de cet engagement le plus vite possible, je voudrais déjà être rentrée. Avec tous les ponts du mois de mai dans quelques semaines, on va bien trouver quelque chose.

— Vous avez déjà pensé à une destination ?

Je sentais qu'il se forçait à me poser toutes ces questions, à s'y intéresser un minimum pour me laisser imaginer que la pilule passait.

— Pas vraiment. Fabrice va s'en occuper, tu me connais, je ne suis pas la reine de l'organisation ! tentai-je de blaguer.

— Lui aussi te connaît...

Il s'assombrit davantage encore, j'allais devoir surveiller chacune de mes paroles pour le ménager.

— Je suis désolée, Éric, de te faire subir...

— Vous le faites pour votre fils... c'est une raison suffisante pour le sacrifice.

— Mais, toi ? Tu aurais fait quoi à ma place ?

Il caressa délicatement ma joue, en me fuyant du regard.

— Nos situations ne sont pas comparables, me répondit-il tristement.

— Que veux-tu dire ?

— Rien.

— Si ! Dis-moi ! À quoi penses-tu ?

— Je ne sais pas, je réfléchis depuis hier et c'est vrai que vous ne vous adressez pas la parole, jamais... Comme si vous aviez encore des choses à régler. C'est peut-être tendu entre la mère de Louise et moi, mais on se parle, régulièrement. Quand je conduis Louise chez elle, je sors de la voiture, on échange des banalités, on parle de la pluie et du beau temps, mais on ne fait pas comme si l'autre n'existait pas... Je finis par me dire que ça cache quelque chose.

Les semaines défilèrent sans que je puisse rien contrôler, le temps m'échappait et nous rapprochait chaque jour un peu plus du départ. Dimitri n'en revenait pas qu'on ait cédé son père et moi, pour autant, il attendait d'y être pour y croire pleinement. Il avait certainement raison, car, malgré notre prise de conscience, nous ne communiquions que par textos pour l'organisation. Fabrice fit tout ce qu'il put pour nous trouver une destination neutre pour lui comme pour moi ou encore qui ne risquerait pas de froisser Lucille et Éric. Un endroit où nous n'avions pas de souvenirs communs, une ville où nous n'étions pas allés avec nos conjoints respectifs ni que nous projetions de visiter. C'était compter sans les avions qui se remplissaient à vue d'œil à l'occasion de tous ces jours fériés, nous n'étions pas les seuls à préparer une escapade. Heureusement, Dimitri se fichait royalement de l'endroit, tout ce qu'il souhaitait était d'être quelque part avec ses parents. Le choix s'arrêta sur Rome, belle destination, où je savais que nous n'irions jamais avec Éric puisque cette ville avait été le théâtre de son voyage de noces avec son ex-femme.

Nous prenions bien garde mon amour et moi de n'aborder le sujet de ce voyage qu'en cas de nécessité absolue. C'était devenu un sujet tabou. J'étais gênée – et encore, le mot n'était pas à la hauteur de mon malaise – de lui imposer une situation pareille. Je me répétais sans cesse qu'à sa place je serais dans tous mes états et que, pour être honnête, je piquerais des crises d'angoisse et de panique à longueur de temps. Je m'enchaînerais à lui pour qu'il ne parte pas avec son ex-femme, terrifiée à l'idée de lui laisser à elle la possibilité d'empiéter sur une miette de mon territoire. Il aurait eu beau me rassurer encore et encore, rien n'y aurait fait. À quelques jours du départ, je réalisais combien moi-même j'étais troublée à l'idée de ces quelques jours avec Fabrice, malgré la force de mon amour pour Éric. Des souvenirs, pas toujours malheureux, forcément heureux, allaient ressurgir entre nous. Je n'en avais pas envie, j'avais tiré un trait ferme et définitif sur cette partie de ma vie, je ne voulais pas que le passé soit remué. À quoi bon ?

Éric ne disait rien, ne se confiait pas, il ne partageait pas ce qu'il ressentait. Pour lui, nous étions adultes et nous devions assumer nos choix, malgré les difficultés, pour nos enfants. Depuis le début de notre histoire, je savais que Dimitri et Louise, sa fille, devaient être notre priorité, et passer avant toute chose. Éric contrôlait, maîtrisait, il avait cette capacité à toujours revenir à la raison, en toute circonstance, peu importait la douleur. Mais cette maîtrise le renfermait sur lui-même. Alors que j'aurais souhaité qu'il me rassure, qu'il me prenne encore plus souvent que d'habitude dans ses bras, ce voyage, avant même que les kilomètres nous séparent, nous éloignait déjà.

Veille du départ. Je préparais le dîner quand Dimi me rejoignit, il tourna en rond dans la cuisine, ne sachant où se mettre. J'étais bien assez sur les nerfs sans qu'il en ajoute une couche. Je n'aimais pas cet état d'esprit, mais j'en voulais à mon fils. Il me mettait dans une situation intenable, pourtant j'avais bien conscience qu'il ne faisait pas un caprice d'enfant gâté de divorcés. Je balançai le torchon que j'avais dans les mains et lui fis face. Il donnait des coups de pied dans le vide.

— Qu'est-ce qu'il y a, Dimi ? Tu as quelque chose à me dire ?

— C'est bizarre, en fait... de partir avec Papa et toi, demain. Je ne croyais pas que vous le feriez...

— Tu regrettes ? Tu ne veux plus partir ?

— Non, ce n'est pas ça, Maman. J'en ai envie... mais je m'en veux...

— De quoi ?

— J'ai foutu la merde entre Éric et toi.

— Non, pas du tout, tout va bien.

— Maman, je ne suis pas aveugle. Vous ne riez plus, vous ne vous bécotez plus, ça a beau m'énerver, je préfère ça à rien...

— Tu n'as pas imaginé, en me demandant de partir en vacances avec ton père, que cela pouvait faire de la peine à Éric ? Je suis sûre que l'ambiance ne doit pas être meilleure chez lui... Mais tu n'as pas à t'en vouloir, c'est notre problème et notre faute aussi. À notre retour, tout ira bien car tu nous as ouvert les yeux. On ne se parlait plus, et ce n'est pas bon pour toi...

Le raclement de gorge d'Éric nous fit comprendre qu'il avait entendu notre conversation. J'en étais soulagée. Nous arriverions peut-être à crever l'abcès. Il avança vers un Dimi tout penaud et posa une main réconfortante sur son épaule.

— Dimitri, ne t'inquiète pas, je ne t'en veux pas. Si Louise m'avait demandé de partir avec sa mère, je l'aurais fait, tout en sachant que la tienne en aurait souffert. Je ne te demande qu'une chose, c'est de me la ramener entière. Surveille-la pour moi. Elle va forcément rater une marche, tomber dans une fontaine ou oublier de se réveiller le jour de votre retour.

Dimi éclata de rire, Éric se contenta de sourire en me fixant.

Un peu tard, dans la nuit, j'étais blottie dans les bras d'Éric. Nous venions de faire l'amour avec une rare intensité. J'avais eu le sentiment qu'il m'avait aimée pour que je ne l'oublie pas, que je n'oublie pas qu'il était le seul à caresser mon corps de cette manière. Je m'étais donnée avec la même passion, lui rendant furieusement chaque baiser. Nous ne disions pas un mot, je cherchais à me fondre dans sa peau, et lui me serrait de plus en plus fort contre lui.

— Parle-moi, chuchotai-je.

— Si je le fais, me répondit-il tout aussi bas, je vais te compliquer la vie.

— Je m'en fiche, je veux que tu me parles, que tu me dises ce que tu as dans la tête.

— Ne pars pas, ne fais pas ce voyage... J'ai peur qu'il t'arrive quelque chose.

— Dimi va me surveiller...

— Ce n'est pas de ton étourderie que j'ai peur... j'ai peur de Fabrice.

— Tu n'as pourtant rien à craindre de lui... tu sais que je t'aime...

— Bien sûr, je sais que je suis irrationnel, et c'est peut-être ça qui me perturbe le plus... Je suis jaloux pour la première fois de ma vie. Je ne maîtrise plus rien... Je ne vais rien pouvoir contrôler pendant quelques jours. Je ne veux pas que tu gaffes avec lui, je ne veux pas que tu sois en retard pour une visite guidée avec lui, je ne veux pas que tu trébuches avec lui et que ce soit lui qui te retienne si tu tombes. Aujourd'hui, c'est moi, c'est ma place, pas la sienne. Il a perdu ce droit-là... C'est avec moi maintenant que tu voyages, pas avec ton ex-mari, c'est intime, le voyage... l'hôtel... Vous n'allez avoir qu'un mur qui va vous séparer... un mur, ce n'est pas grand-chose pour lutter contre le souvenir de toutes les nuits que vous avez passées ensemble... Toi qui fais comme si le passé n'existait pas, tu vas le revivre comme si c'était ton présent.

— J'ai conscience de tout ça... N'imagine pas que je prends les choses à la légère... Trois jours ne vont rien changer... je vais revenir la même qu'avant, tout à toi...

— Je vais me raccrocher à ta promesse.

Le lendemain matin, Fabrice passa nous prendre Dimitri et moi pour aller à l'aéroport. Mon fils était surexcité, à tel point qu'il se chargea de ma valise, la déposa dans le coffre de la voiture de son père. Il remercia Éric pour toutes les adresses qu'il lui avait données, lui promit de nouveau de me surveiller et grimpa à l'avant. Éric endossa son masque de bienséance pour saluer Fabrice et lui souhaiter bon voyage, pourtant la poignée de main qu'ils échangèrent n'avait rien de cordial, d'un côté comme de l'autre. Bien au contraire. Qu'Éric soit tendu était on ne peut plus normal. Que Fabrice le soit aussi ne l'était absolument pas. Brusquement, je réalisai qu'ils ne se connaissaient pas, ils étaient des inconnus l'un pour l'autre. Ils n'avaient jamais dû échanger plus de quelques mots : « bonjour, au revoir, bonne journée ». Éric, après m'avoir donné un dernier baiser, fila avant nous pour son travail, il ne voulait pas voir « sa femme » partir avec son ex-mari. C'est moi qui eus la gorge nouée en regardant sa voiture disparaître au loin.

— Sophia ! m'appela Fabrice. Tu vas nous faire rater l'avion.

Quatre jours plus tard, je trépignais dans l'avion qui venait tout juste de se poser sur le tarmac. Mission accomplie. Durant ce séjour, il avait bien fallu parler, et Dimitri avait fait en sorte de nous laisser régulièrement en tête à tête son père et moi. Il marchait devant nous, se perdant prétendument dans la contemplation des merveilles architecturales romaines. Comme, par exemple, le malin plaisir qu'il avait pris à nous semer cinq minutes après notre entrée dans le Colisée ou encore disparaître à l'autre bout de la place Saint-Pierre. Et chaque soir, il était toujours exténué par la journée de marche, alors il nous laissait en plan au bar de la terrasse de l'hôtel pour aller se coucher. Ce voyage, au-delà de le rassurer sur la maturité de ses parents, avait rendu mon fils heureux, et beaucoup de choses avait été remises à leur place. Jusqu'à la veille encore, je n'avais pas conscience de certains sujets, car nous avions fait en sorte de ne jamais rien aborder en profondeur. Je n'imaginais pas qu'il puisse rester encore autant de non-dits entre nous deux. J'étais tombée de haut. Je m'étais pris une claque, en réalisant ma part de responsabilités. Je savais désormais pourquoi nous ne nous parlions plus depuis exactement deux ans... Deux ans. Deux ans que j'habitais avec Éric. Je m'étais bercée dans l'illusion que nous gérions la situation parfaitement, alors que c'était tout le contraire.

Encore assis dans l'avion, on échangea un regard lourd de sens avec Fabrice, il devait repenser à la même chose que moi, à cette conversation. Cette dernière soirée romaine.

La journée avait été épuisante, mais merveilleuse, nous avions ri tous les trois ensemble, nous avions été complices, comme lorsque nous formions encore une famille. Cela avait été étrange pour moi ; beaucoup de souvenirs de nous trois, que je croyais oubliés, perdus à jamais, même, étaient remontés à la surface. Après dîner, Dimitri, comme tous les soirs précédents, s'était éclipsé. Fabrice m'avait proposé de boire un dernier verre, j'avais accepté, souriante et détendue. Peut-être était-ce pour cette raison qu'il avait lâché ce qu'il avait sur le cœur... qu'il avait cru pouvoir remettre notre séparation en cause.

— Sophia, tu n'as jamais de regrets ?

— À propos de quoi ?

Il s'était rapproché de moi, nos genoux se frôlaient.

— De nous... notre divorce... Notre ancienne vie ne te manque pas ?

J'avais essayé de lutter contre ses propos, qui me semblaient complètement inutiles, déplacés, même.

— Que veux-tu dire ? Je ne vois pas où tu veux en venir...

— Tu es heureuse avec... avec...

Je sentais que ça lui faisait mal de prononcer son prénom, ce qui m'énervait au plus haut point.

— Avec Éric ! Il s'appelle Éric. Quelle question, Fabrice ! Tu cherches quoi ?

— Tu me manques parfois, Sophia, m'avait-il avoué en attrapant ma main.

J'avais essayé de la récupérer, il n'y avait rien eu à faire, il l'avait tenue plus fort encore.

— Ce voyage était une très mauvaise idée, avais-je bafouillé. C'est totalement inutile de parler d'avant ! Avant, c'est fini. On oublie !

— Bien au contraire, je veux en parler, moi. Sophia, j'ai longtemps espéré qu'on se retrouve après notre séparation.

Il était devenu fou !

— Tu te moques de moi ! Dois-je te rappeler qu'il ne t'a pas fallu beaucoup de temps pour te mettre en couple avec Lucille ?

— Je sais, mais je... je ne suis pas sûr d'y avoir cru...
Je crois que je voulais aussi te faire du mal, te montrer ce que tu avais perdu en me quittant. Et puis, tu
étais seule, tu ne rencontrais personne. J'étais encore
là pour toi, tu me tolérais dans ta vie... alors je me
disais que ce n'était pas fini. Mais il est arrivé... et
il est resté... Quand Dimitri m'a appris que vous
alliez habiter ensemble, j'ai eu l'impression de vivre
notre séparation une seconde fois. À la différence
que tu n'as pas eu le courage de me l'annoncer toi-
même. J'ai eu le sentiment que tu me rayais de ta
vie, définitivement, comme si je n'avais jamais existé.
Pourquoi ? Pourquoi as-tu chargé notre fils de me
le dire ?

J'eus un mouvement de recul face à son reproche.
Reproche légitime.

— Je ne sais pas... Peut-être que je pensais que tu
t'en moquais, tu étais heureux, installé toi aussi avec
Lucille. Tu rayonnais de bonheur, tu semblais tellement plus en phase avec toi-même qu'à l'époque de
notre mariage... Je crois que c'est pour cette raison
que je ne m'en suis pas chargée moi-même, en toute
sincérité, je pensais que ça ne t'intéressait pas, au
moins, tant que cela ne perturbait pas Dimitri. Si
je t'ai blessé à l'époque, j'en suis navrée, Fabrice,
ce n'était pas dans mes intentions...

Un sourire amer s'était dessiné sur son visage.

— Donc, si tu ne m'as rien dit, ce n'est pas parce
que tu n'étais pas sûre de toi avec lui ?

— Absolument pas. Tu as encore cru que...

— Sans doute... Je me suis rarement senti aussi
con qu'en ce moment.

Il avait fixé nos mains encore liées de longues
secondes. Puis il avait lâché la mienne lentement

avant de s'affaler sur sa chaise, désappointé, presque honteux.

— Ne t'en veux pas, Fabrice, de ce que tu as ressenti. Mais Lucille... rassure-moi, tu l'aimes ?

Son sourire était passé de l'amertume à la douceur et de la douceur à l'inquiétude.

— Oui... je l'aime... Elle est... elle est tellement... tellement tout, mais, c'est compliqué, elle a du mal avec ma manière de me comporter avec toi... Elle pense que je te fuis, comme si nous n'avions pas tout réglé. Et... elle te tient responsable de mon manque d'engagement.

Il vrilla de nouveau son regard au mien, pas besoin de mots pour comprendre quel était l'engagement que Fabrice ne voulait pas prendre pour l'instant. Lucille était bien plus jeune que nous et devait lui demander un enfant. Un enfant que Fabrice lui refusait jusque-là, incapable de tourner définitivement la page. Je m'étais sentie affreusement mal pour lui, pour elle. Je n'avais rien contre cette femme.

— J'aurais voulu savoir plus tôt, pour ne pas vous créer de soucis, pour ne pas te faire perdre de temps. Nous aurions dû crever l'abcès depuis longtemps.

— Ce n'est pas ta faute, je me suis fait des films, ridicules soit dit en passant, et j'ai fait du mal à Lucille.

Un ange était passé entre nous, sans que nous nous quittions des yeux. Je crois que nous mesurions ce qui se jouait, enfin.

— C'est pour ça qu'on a arrêté de parler ? avais-je cherché à savoir.

Il avala une gorgée de vin avant de me répondre, avec lassitude.

— Certainement, Sophia... une part de moi voulait encore croire que tu reviendrais, j'ai joué la carte de la distance pour te faire revenir et pour que Lucille patiente tant que possible, l'autre part refusait de te voir filer le parfait amour avec cet homme, que notre fils adore et que je ne connais pas, je ne sais pas qui il est. Pour toutes ces raisons, je devais rester le plus éloigné possible de toi.

Son attitude m'avait facilité la vie, je le tenais loin de moi, loin d'Éric, ne voulant rien remuer, ne voulant me souvenir de rien.

— Ce voyage était vraiment nécessaire, alors ? lui avais-je demandé, comme une confirmation.

— J'en avais autant besoin que Dimi. Désolé.

— Ne t'excuse pas, moi aussi, je viens de comprendre que j'en avais besoin. Pour affronter mes responsabilités, j'ai tiré un trait trop violemment sur tout. Je me suis bien arrangée de ta distance, c'était confortable pour moi. J'ai fait comme si nous n'avions pas formé une famille, comme si tu n'avais pas fait partie de ma vie, alors que, si je t'avais laissé une place, tu aurais su à quel point j'aime Éric, j'en suis désolée.

Chacun avait rejoint sa chambre sur ces mots, ces excuses.

À l'heure de descendre de l'avion et de tourner le dos à ces trois jours, j'espérais de tout cœur que Fabrice et moi allions désormais pouvoir communiquer, sereinement, paisiblement. Mais pour le moment, seul comptait Éric qui m'attendait derrière la douane. Quand je lui avais demandé à plus de 3 heures du matin la nuit dernière de venir me chercher à l'aéroport, j'avais perçu le soulagement dans sa voix fatiguée. Il avait dû peu dormir durant trois jours. Jamais il ne l'aurait proposé, pourtant il en crevait d'envie. Peut-être les deux heures de trajet en voiture avec Fabrice auraient-elles été les deux heures de trop pour lui. De mon côté, je n'avais pas hésité à le réveiller ni à lui faire faire un aller/retour pour me retrouver plus tôt que prévu, je voulais qu'il soit là, j'en avais même désespérément besoin. Je n'avais aucune idée de la manière dont j'allais lui raconter ce séjour, cette discussion entre mon ex-mari et moi, mais j'allais le faire. Je n'avais pas le choix et je le souhaitais. Si je ne l'avais pas fait immédiatement, c'est parce que le téléphone, la distance, le son différent dans le combiné d'un pays à l'autre, le décalage d'atmosphère auraient amplifié les réactions, les auraient rendues démesurées, exagérées, et il devait pouvoir découvrir dans mes yeux la vérité, ce que je ressentais. Je ne voulais pas créer d'angoisse inutile, il y en avait déjà bien assez eu.

Dimitri se moquait ouvertement, mais tendrement, de mon impatience à sortir de l'avion.

— Et toi, Papa, tu vas bourrer sur la route pour retrouver Lucille ?

Fabrice eut un léger sourire.

— Dans la limite du raisonnable, on va finir correctement ce voyage, Dimi.

— Et ne vous inquiétez pas, je passe la soirée chez un copain ! Ça me rassure, vous êtes encore jeunes !

Il éclata de rire, ses parents firent semblant. Notre fils, maintenant qu'il avait obtenu ce qu'il désirait, faisait tout pour prendre soin des nouvelles vies de son père et de sa mère. Il avait réalisé en me surprenant plusieurs fois vissée à mon téléphone, donnant et prenant des nouvelles d'Éric, qu'il nous avait sacrément perturbés en cherchant à recréer d'une manière éphémère notre ancien trio familial. Les éclats de voix entre Fabrice et Lucille lorsqu'ils s'étaient appelés y avaient aussi contribué. Il n'était pas près de recommencer.

Évidemment, la file d'attente fut interminable, entre les douaniers pas pressés pour un sou et des problèmes de passeport. Quand la porte s'ouvrait pour laisser les passagers libérés, je sautillai sur place pour essayer d'apercevoir Éric. Lorsque ce fut enfin notre tour, je me précipitai au comptoir, offris mon plus beau sourire au policier et eus le droit de m'échapper. Mais quelque chose me retint. Un fil transparent qui me reliait encore pour quelques minutes à mon fils et mon ex-mari. En réalité, plusieurs fils transparents entremêlés, indémêlables. La délicatesse. Le souvenir de ce week-end à Rome. Les mots échangés. Le respect de Fabrice. La porte de la frontière s'ouvrit malgré tout, je découvris Éric, nerveux, le regard impatient. Il me vit à son tour, commença à sourire de soulagement, mais son sourire ne gagna pas ses yeux. Il hocha la tête, perplexe, ne comprenant pas pourquoi je n'avançais pas vers lui. Il est vrai que, si le contexte n'avait pas été le même, j'aurais couru dans sa direction, quitte à bousculer des gens, quitte à tomber, pour me précipiter sur lui, lui sauter dans les bras. J'aurais laissé s'exprimer ma spontanéité légendaire pour le faire rire, pour lui montrer que sa Sophia n'avait pas changé en trois jours. En étais-je si sûre ? N'avais-je pas au bout du compte changé ? Gagné en maturité. En gravité. En responsabilité.

Brusquement, Éric se crispa davantage, son visage se ferma.

— On est là, souffla Fabrice, d'une voix blanche.

Je lui fis face, son expression impénétrable me pinça le cœur.

— C'est sympa de nous avoir attendus, Maman, embraya Dimitri.

Je sentis la main de Fabrice dans mon dos.

— Allons-y.

Je marchai vers l'homme que j'aimais, encadrée par mon fils et mon ex-mari, dont j'avais réussi à me détacher légèrement. Que pouvait bien penser Éric ? L'espace de deux secondes, j'imaginais mon état de panique totale si je l'avais vu avec son ex-femme et sa fille. J'aurais hurlé, j'aurais frappé. Je fis tout ce que je pouvais pour le rassurer avec mes yeux, lui demander de ne rien interpréter.

Dimitri allongea le pas et fut le premier à lui dire bonjour d'une accolade chaleureuse. Ils échangèrent des mots que je ne compris pas, comme si mes oreilles étaient bouchées, uniquement concentrée sur le regard fuyant d'Éric. La poignée de main entre lui et Fabrice fut tout aussi froide qu'au moment du départ. À ceci près que je ne sentis plus d'instinct revanchard chez Fabrice, mais plutôt une forme de triste fatalité à l'idée de la fin d'une époque. Il se détourna pudiquement pour me laisser enfin approcher Éric.

— Salut, murmurai-je en me hissant sur la pointe des pieds.

Il m'embrassa, certes du bout des lèvres, mais elles étaient tendres, amoureuses et possessives. Comme avant ce voyage. Puis on se regarda dans les yeux pour entamer une discussion silencieuse, je l'entendais me dire : *Tu es rentrée* et je lui répondais : *Je suis là. Je ne partirais plus jamais.* Malgré toutes les questions que je pouvais lire sur son visage, un brin de sérénité fit son apparition.

— Dimi, on va y aller, nous interrompit Fabrice, on va laisser Éric et ta mère tranquilles. Lucille m'attend, je ne veux pas perdre de temps.

— OK, Papa !

Je m'éloignai d'Éric pour leur dire au revoir. Mon fils franchit la distance qui nous séparait et me prit contre lui, ce qui m'émut et me surprit à la fois. Dimitri n'était plus le petit garçon câlin qu'il avait été et n'aimait pas trop les effusions.

— Merci, Maman. C'était génial !

Je l'attrapai par le bras et l'entraînai un peu plus loin. J'allais laisser Fabrice et Éric se débrouiller quelques minutes sans moi. Je liais mon passé et mon futur. Enfin.

— C'est vrai, mon Dimi ? Tu es rassuré ?

— Oui, promis, Maman.

— Tu vois qu'on est capables de se parler, avec ton père ! On avait juste besoin d'un coup de pouce. Et c'est à toi qu'on le doit.

— Maman...

— Oui ?

— J'ai eu l'impression de grandir, ce week-end. C'est bizarre... mais il s'est passé quelque chose. Je sais pas quoi, mais... je crois que ça va être bien, maintenant, mieux en tout cas.

Tu n'es pas le seul, eu-je envie de lui répondre. Moi aussi, j'avais grandi.

— On sera toujours là pour toi avec ton père, je te le promets, quoi qu'il se passe dans nos vies.

Il me fit un gros baiser sur la joue.

— Merci, Maman. À demain.

— Oui... à demain.

En me tournant, je découvris Fabrice tout près de moi. Il attendit que notre fils ait rejoint Éric avant de parler.

— Sophia...

Son regard se riva au mien.

— Bon, bah, c'est fini...

— Oui...

— On va reprendre nos vies.

Je lui souris doucement.

— Prends soin de toi et de Lucille.

— J'ai énormément de chance de l'avoir. Mais... j'ai eu de la chance avec la première femme de ma vie, aussi.

L'affolement me gagna.

— Fabrice !

Il rit légèrement.

— Ne t'inquiète pas. Tout va bien ! Ce que je veux dire, c'est qu'on ne peut pas faire comme si nous n'avions pas formé une famille avant notre séparation.

Il avait raison. Je l'avais compris. Nous avions un présent et un futur, mais nous n'en serions pas là, sans notre passé. Fabrice était le mien, j'étais le sien. Il fallait accepter de vivre avec pour moi et, pour lui, de le laisser partir.

— À bientôt, Sophia.

— À bientôt, Fabrice.

Il tourna les talons, envoya un signe de la main accompagné d'un sourire à l'intention d'Éric et prit la direction du parking avec Dimitri. Après leur avoir jeté un dernier coup d'œil, je courus me jeter dans les bras de mon amour.

Nicolas MATHIEU

Une parfaite soirée

Nicolas Mathieu a publié son premier roman, *Aux animaux la guerre*, aux Éditions Actes Sud, et a reçu le prix Erckmann-Chatrian, le prix Transfuge du meilleur espoir Polar et le prix Mystère de la critique. Il a participé à son adaptation en série, diffusée sur France 3, avec Roschdy Zem dans le rôle principal. Son deuxième roman, *Leurs enfants après eux*, publié chez le même éditeur, a été salué par une critique enthousiaste et a reçu, entre autres, le Prix Goncourt.

Main dans la main, Samuel et Marion descendaient la rue de Belleville, profitant du déclin de la chaleur, et de la sensation fraîche que la douche avait laissée dans leurs cheveux humides. Depuis plusieurs jours, les températures ne cessaient de grimper et on annonçait même une pointe à 40 pour le lendemain. Cette canicule occupait d'ailleurs tous les esprits, nourrissait les conversations et les journaux, mais Samuel et Marion s'en foutaient. Ils n'étaient préoccupés que d'eux-mêmes, se contentant du plaisir silencieux d'être ensemble. Ils se suffisaient.

Ce soir-là, Marion était particulièrement excitée. Dans l'après-midi, elle avait reçu un message de Samuel alors qu'elle faisait un Skype avec les équipes de Valence, où il lui disait : *Je pense à toi, ne rentre pas trop tard petit cul, j'ai une surprise.* Aussitôt, la journée de Marion s'en était trouvée métamorphosée. Son mec était coutumier du fait. Il avait l'habitude de planifier comme ça des escapades inattendues, des soirées, il cherchait tout le temps à l'étonner ou lui foutre la trouille. De temps en temps, il glissait un petit paquet dans son sac à main, dans un tiroir de la salle de bains, une bricole avec un ruban autour. Une fois, au petit déj, une bague en argent Dinh Van était tombée de la boîte de Kellog's dans son lait. Pour la Saint-Valentin, il l'avait même emmenée à Disneyland Paris. C'était con, un voyage en RER, mais de fait, ils s'étaient amusés comme des mômes, avaient bu de la bière tout le long et même essayer de baiser vite fait dans le labyrinthe d'Alice. C'est avec ce genre de trucs, des riens qui mettaient du sel dans le quotidien, que Marion se disait : *Ce type c'est le bon, c'est lui, c'est pour la vie.* À d'autres moments, elle se faisait la réflexion inverse, mais pour de tout autres raisons.

Quoi qu'il en soit, après ce message, elle n'en avait plus foutu une rame de toute la journée, se contentant de scroller dans sa boîte mail en gloussant avec Léa, sa petite stagiaire. Puis elle avait eu cette idée ! Elle en avait parlé à Léa qui lui avait dit *mais meuf, c'est trop une bonne idée, vas-y, on le fait.* Elles avaient manigancé ça toutes les deux. En quelques clics, c'était plié. Depuis, Marion se sentait comme une Cocotte-Minute au bord de l'explosion. Elle avait prévenu Samuel : *Fais-toi beau, moi aussi j'ai une surprise pour toi.*

Avant de quitter leur appart, Marion et Samuel avaient donc fait les choses bien, prenant une douche, passant des vêtements frais, Marion allant jusqu'à étrenner un petit top blanc Fauvette Paris qu'elle réservait pour une occasion. Et sur le seuil, ils s'étaient adressé ce sourire appréciateur, genre : toi, si je t'avais pas déjà pécho...

Parmi les fondations qui soutenaient leur couple, ils pouvaient compter sur quelques goûts communs, leur classe d'âge, leur milieu d'origine, leur niveau d'études, leur échelle de salaire, des visions d'avenir jumelles, un sens politique à peu près nul, et cet atout précieux dont il n'était jamais question mais qui était pour beaucoup dans l'équilibre de leur relation : ils étaient mignons – surtout elle. Ainsi, Marion se prévalait d'une denture digne de Photoshop, d'une chevelure à l'abondance amazonienne et d'une peau toujours nickel, même quand elle avait trop picolé, mal mangé ou peu dormi. Ces dons-là, ces injustices de la naissance, formaient un capital qu'elle partageait avec Samuel, lequel tirait de leur union un orgueil de propriétaire. Quelques semaines plus tôt, ils s'étaient rendus à un mariage à la campagne et le jeune homme s'était lui-même étonné du plaisir qu'il prenait à la voir danser avec d'autres types. Bien sûr, il était sorti avec des filles plus jolies ou qui venaient de milieux encore plus favorisés. Mais Marion avait un truc. Il savait que, partout où ils allaient, on l'admirerait d'avoir réussi à se lever une meuf pareille. Et ce soir encore, tandis qu'ils marchaient sans rien se dire dans la rue de Belleville, Samuel était fier, de lui, d'elle, de son allure, et qu'elle appartienne à cette catégorie des filles qui peuvent porter des tongs sans avoir l'air de campeuses.

Mais si Samuel était fier, Marion ne l'était pas moins. Elle aimait sa décontraction, son air continuellement goguenard, piquant, ses yeux vifs, sa taille légèrement épaissie et ce sourire qu'il allumait à volonté et qui vous donnait l'impression d'être accepté dans un carré VIP. Elle aimait aussi ses chemises en coton égyptien, les tennis hebdomadaires avec ses potes, la manière dont il prenait les devants, chez le caviste, au check-in à l'aéroport, au resto, n'importe où où ils allaient. Pendant un certain temps, elle était sortie avec un indécis, et à la longue, elle avait trouvé ça soûlant de devoir tout le temps participer à la moindre décision. Marion n'était pas moins féministe qu'une autre, mais sur un certain nombre de points, elle préférait que les hommes prennent la main. Et puis au pieu, Samuel savait faire, ce qui permet de surmonter pas mal de problèmes.

Le couple allait donc dans la rue, profitant de la douceur du soir, du dépeuplement provisoire de la ville, et à cet instant de facilité maximale, ils auraient été incapables de s'imaginer autrement qu'ensemble. Tout de même, Marion songeait à la surprise qui l'attendait et regrettait un peu que Samuel ne cherche pas à savoir ce qu'elle avait concocté pour lui. Elle se demandait comment il s'y prenait pour avoir toujours l'air aussi détaché. Elle avait trouvé ça tellement sexy, au départ.

Quand ils en eurent assez de marcher, ils prirent la ligne 11 puis la 1, pour sortir à Palais Royal-Musée du Louvre. Après avoir longé la Bibliothèque nationale, ils débouchèrent sur la rue du Quatre-Septembre. Devant la Bourse, Samuel s'immobilisa.

— On y est.

La jeune femme leva les yeux. Ils se trouvaient devant un resto sobrement nommé Là-Haut. L'endroit ne payait pas de mine, mais elle était confiante. Samuel poussa la porte, elle le suivit.

— Oh, génial !

À l'intérieur, le spectacle avait de quoi surprendre. Chaque table était flanquée de balançoires, et des branches savamment entrelacées couraient sous les plafonds, laissant filtrer à travers le feuillage une

lumière en morceaux, diffuse, de fin de journée.
On entendait aussi des bruits de source, des oiseaux
qui chantaient, et une odeur verte et sombre, de
terreau mouillé, venait parfaire ces impressions
de sous-bois. Au centre de la pièce, un tronc authen-
tique soutenait une manière de cabane en planches,
à laquelle on accédait par un escalier tournant, et où
l'on pouvait dîner en altitude, à l'abri des regards, sur
des banquettes chargées de coussins. C'est évidemment là que Samuel avait réservé. Une fois installés
dans ce cocon, ils échangèrent un baiser. Marion
était contente, et vaguement déçue. Ce décor lui
paraissait peu de chose au regard de ce qu'elle avait
prévu.

— C'est marrant, dit-elle. On a l'impression de
faire des trucs en cachette, ici.

— Mais ouais. C'est Rémi qui m'a parlé de cet
endroit. J'ai pris une réservation direct.

— Il invite ses meufs là-dedans ?

— Oui, enfin, ça change rien. C'est vachement
bien, non ?

— Oui, oui, carrément.

— Et la mienne de surprise, alors, fit Samuel.

— Ah… répliqua Marion en roulant des yeux.
Patience !

La serveuse parut alors au haut de l'escalier et
commenta l'ardoise où figurait le menu. Samuel
commanda deux mojitos pour commencer. Ils trin-
quèrent et furent vite grisés par le rhum glacé.

— Mais alors, c'est quoi ?

— Tu verras bien.

— C'est un truc avec du monde ? T'as invité des
potes.

— Je peux rien dire pour l'instant.

— Arrête, tu vas me rendre dingue !

Dans leur repère perché, ils se sentaient comme des robinsons, à l'abri du temps, du monde des adultes, loin de la civilisation. Le pouilly-fuissé aviva encore ce sentiment de fugue, d'en dehors, et amplifia leur pente pour les enfantillages. Trop excitée pour manger, Marion toucha à peine à son risotto, et Samuel se fit une joie de finir son assiette. Les coussins leur procuraient un sentiment de confort absolument délicieux et ils s'y abandonnaient avec un sans-gêne oriental. Bientôt, ils se livrèrent à un de leurs petits jeux favoris, s'amusant à imaginer l'avenir, une hypothétique vie de famille qu'ils exagéraient par dérision, mais qu'ils prenaient finalement assez au sérieux. Le choix des prénoms de leur progéniture les poussait par exemple à des surenchères et des baroquismes, chacun jetant sur la table des exemples tour à tour exotiques, surannés, mérovingiens, des noms de feuilletons américains et d'autres qui auraient mieux convenus à un hamster. Mais bien vite, ils s'inventaient une résidence secondaire, précisaient des budgets, des étalements dans le temps, des rachats de crédit et de possibles SCI. C'était jouable, surtout que des recruteurs avaient encore chiné Samuel deux jours plus tôt sur LinkedIn. Les mecs comme lui, qui savaient coder, parlaient trois langues et avaient une vision business des enjeux ne couraient pas les rues et pouvaient espérer des carrières dignes des Sixties. Marion n'avait pas non plus à se plaindre. Après ses études d'ingénierie environnementale, elle avait rejoint le service RSE d'un grand groupe d'agroalimentaire. Elle bénéficiait là d'une mutuelle béton, d'une prime d'intéressement, d'un treizième mois et de perspectives vraiment cool. En ce moment, elle mettait la dernière main à un grand plan transverse « Communication non violente et accompagnement du vivant » et elle était convaincue que ce projet allait donner un bon coup de boost à son CV. D'ailleurs Nath, sa N+1, était hyper optimisme et lui faisait déjà miroiter un poste senior. En somme, tout roulait, et l'horizon était si dégagé, tellement prometteur que Marion, un peu grise, sentit ses yeux s'embuer.

— Qu'est-ce qui t'arrive ?

— Rien. J'suis contente.

Plus tard, au moment du café, Marion posa son pied nu entre les jambes de Samuel. Ce dernier fit mine de rien, et Marion insista, le fixant avec cet air espiègle, capricieux, qui lui allait si bien. Flegmatique, Samuel faisait fondre son sucre. Il avait de plus en plus chaud. Il reposa sa tasse. Leurs sourires s'étaient envolés, vaincus par le sérieux qui leur venait du ventre.

— On va rentrer, dit Samuel.

Le pied nu de la jeune femme était devenu comme une main, languide, appliquée, et tous deux retenaient maintenant leur souffle en se demandant jusqu'où les mènerait ce geste.

— Alors, cette surprise ? tenta Samuel.

Marion n'eut pas le loisir de répondre. La serveuse montait l'escalier avec l'addition et elle dut retirer son pied en catastrophe, tandis que Samuel planquait son érection sous sa serviette de table.

Décidément, cette soirée se déroulait à merveille et ils la firent durer, restant affalés longtemps dans les coussins, à se regarder et se taquiner, sans se dire grand-chose. Samuel avait déposé une carte Gold sur l'addition et elle suffisait à tenir les contingences en respect. Sans jamais se l'avouer, tous deux considéraient d'ailleurs leur compte en banque comme un élément essentiel de leur bonheur. Marion n'imaginait d'ailleurs pas qu'on pût vivre autrement. L'année où ils avaient acheté leur appartement, ils avaient dû faire une croix sur les sports d'hiver et elle en avait tiré un désagréable sentiment d'irréalité.

— Alors ?

— Alors quoi ?

— Arrête, maintenant ! C'est quoi cette surprise ?

Marion fit encore la mystérieuse quelques secondes avant de lâcher le morceau.

— J'ai réservé des places sur un Paris-Buenos Aires.

— Quoi ?

— Paris-Buenos Aires. Puis Buenos Aires-Rio derrière.

— T'es sérieuse ?

— Trois semaines en tout. Il suffit de bloquer les dates.

— Je crois que c'est moi qui vais chialer, maintenant.

— Blaireau !

Et Marion passa par-dessus la table, renversant la bouteille vide et deux verres, pour l'embrasser à pleine bouche.

Ce voyage, ils l'envisageaient depuis un bout de temps, mais chaque fois, une dépense plus urgente ou un impératif professionnel les avait empêchés. Plus encore que la mise en commun de leur argent à la BNP, que l'achat de leur appartement, que les Noëls passés dans la famille de Marion, la réalisation de ce projet devait marquer un seuil, le top départ d'une existence qui vaudrait le coup. Là, ils sauraient qu'ils avaient enfin les moyens de leurs désirs, du style de vie qui justifiait une existence à leurs yeux. Tout de même, Samuel s'inquiéta du financement. Marion avait préparé ses arguments. Il la contraria un peu pour la forme, parce que cette initiative prenait peut-être sa masculinité à rebrousse-poil, mais il n'était pas con au point de gâcher la fête. Il laissa d'ailleurs un pourboire excessif à la serveuse pour marquer son assentiment.

Dehors, ils trouvèrent la ville changée, presque fraîche. Les vacances d'été avaient fait leur œuvre, abandonnant la capitale réelle à de rares autochtones, tandis que les touristes se pressaient autour de quelques points évitables. Marion et Samuel décidèrent d'en profiter, et se mirent à errer, discutant de ce voyage futur, se tenant par l'épaule et la taille, conscients qu'ils feraient l'amour dès qu'ils seraient rentrés.

Puis Samuel fit signe à un taxi et, de la banquette arrière, ils regardèrent le long glissement de Paris, les lumières étirées par la vitesse, cet aspect hâtif et inachevé que prenait la ville sur la lèvre du soir. Un peu d'air glissait par la vitre entrouverte. FIP diffusait un morceau jazz vaguement familier et il n'y avait que les feux rouges pour contredire l'exquise fluidité de ce moment. Marion mêla ses doigts à ceux du jeune homme. À cet instant précis, ils ne se connaissaient plus de regrets, aucun reproche. L'évidence des choses les laissait presque étourdis.

Le chauffeur les laissa à Télégraphe et ils se hâtèrent de rentrer. Ce n'était plus le moment de différer leur désir et Marion, en partie par jeu, se mit à marcher très vite, à longues enjambées comiques.

— Attends ! fit Samuel.

Il courut après elle, l'attrapa par le bras, et elle se retrouva contre lui.

— J'ai presque mal, tellement j'ai envie.

— Oui...

Ils s'enlacèrent et échangèrent un baiser, mais un son les piqua. C'était aigu, très fort, tout proche. Quelqu'un venait de les siffler. Ils se séparèrent aussitôt pour voir d'où ça venait. Trois jeunes garçons arrivaient par une rue perpendiculaire à celle de Belleville. Le plus costaud, un grand type chauve en débardeur, leur fit : « Hé ! » Marion chercha la présence de Samuel. Mais il était devenu raide et froid. Elle frissonna.

Une seconde plus tard, les trois garçons étaient devant eux, alignés, le costaud, un autre très pâle, l'air malade, avec une casquette sur la tête, et le dernier qui semblait le plus sympa, du genre étoile montante de stand-up, malicieux et culotté. Après un moment, le grand costaud demanda une cigarette, mais le couple n'en avait pas.

— Et 2 euros ?

— Non, fit Samuel.

— T'as pas 2 euros ? s'amusa le sympa.

— Non.

— Alors une clope ?

— On fume pas, fit Marion avec irritation.

Les trois garçons les fixaient sans bouger. La ville semblait s'être enfuie très loin dans leur dos. Par une fenêtre en surplomb, on entendait distinctement le jingle d'une chaîne d'info en continu. Puis la voix d'un présentateur qui dit bonsoir. De leur côté, les autres restaient sans réaction et à contre-jour, si bien qu'on ne pouvait rien soupçonner de leur regard, de leurs intentions, à peine les traits de leurs visages. Marion frissonna une nouvelle fois. Alors le grand type en débardeur fit un mouvement dans leur direction, comme un coup de tête, dans le vide, un geste tout bête, d'intimidation, de cours d'école. Samuel recula alors d'un pas, et Marion se retrouva seule. Puis Samuel la prit par la main, la pressant de quitter les lieux. Les trois jeunes se fondirent dans la ville qui déjà retrouvait sa densité habituelle. Cette rencontre n'avait pas duré trente secondes.

Dans l'ascenseur, Marion regardait ses pieds. Elle se sentait lasse, mal fichue. Il faisait tellement chaud dans cette saleté de ville. Quand Samuel s'approcha d'elle, elle ne put réprimer un léger mouvement de recul. Puis elle se ravisa, prit sa main et l'embrassa au coin des lèvres. Ils ne s'étaient plus rien dit depuis l'incident avec les trois garçons.

Arrivée dans l'appartement, Marion s'enferma tout de suite dans la salle de bains. Samuel entendit qu'elle se faisait couler un bain. Il ferma les volets, consulta le répondeur, éteignit son ordinateur. Debout dans le salon, il cherchait ce qui pouvait bien clocher. Il avait la désagréable sensation de ne plus être chez lui, comme si des années avaient passé en leur absence. Il se dirigea vers la salle de bains et colla son oreille à la porte. Hormis quelques clapotis espacés, on n'entendait rien. Il posa sa main sur le battant et voulut gratter, mais il n'osa pas.

Une fois couché, il réfléchit longtemps aux heures qui venaient de s'écouler. Tout avait été rigoureusement parfait. Marion n'avait rien à lui reprocher.

Au besoin, il l'aurait défendue. Il en était sûr. Elle devait bien le savoir, elle aussi.

De son côté, les joues rouges et le front moite, Marion fixait le plafond de la salle de bains où l'humidité avait dessiné un ciel de nuages sombres. Dans son ventre, le désir levé plus tôt continuait de tourner pour rien, à contretemps, pénible comme une fringale. Elle attendit longtemps dans son bain, se caressant vaguement, sans grand succès, jusqu'à ce que l'eau soit devenue trop froide. Puis elle passa son peignoir et eut cette pensée réconfortante : au moins, ils bénéficiaient d'une bonne assurance annulation avec la carte Gold.

Véronique OVALDÉ

N'en déplaise aux modernes

Depuis le début de sa carrière littéraire, Véronique Ovaldé connaît un succès grandissant et bénéficie d'une reconnaissance critique et publique. Elle a été récompensée par le Prix France Culture/*Télérama* pour *Et mon cœur transparent*, et du Prix Renaudot des lycéens, du Prix France Télévisions et du Grand Prix des Lectrices de *ELLE* pour *Ce que je sais de Vera Candida*. Son dernier ouvrage, *Personne n'a peur des gens qui sourient*, a paru aux Éditions Flammarion.

Rose Dufour avait toujours aimé voyager.

Ou plutôt, la mère de Rose Dufour avait toujours voulu voyager.

Dans ses plus anciens souvenirs (et, si j'en crois la communauté scientifique, docteur Freud et ma propre expérience, ils devaient remonter à ses trois ans), Rose était allée tous les jours, sa main dans celle de sa mère, se poster sur le pont au-dessus de la voie ferrée. Qu'il vente ou qu'il neige, selon l'expression consacrée, elles se pointaient pour l'express de 16 h 42 qui faisait trembler la passerelle en métal, sifflait comme pour les saluer (c'est ce que sa mère précisait chaque fois : « Il nous dit bonjour ») et filait vers l'Est, l'étranger, les steppes herbeuses et les Cosaques. Avec à son bord une poignée de privilégiés (non tant financièrement que symboliquement) qui dodelinaient en ne se rendant pas compte qu'il y avait là quelque chose d'extraordinaire et de fondamentalement contre nature dans le fait de se déplacer à une vitesse pareille. Des humains auraient dû, à n'en pas douter, ressentir un malaise effarant à se mouvoir à plusieurs centaines de kilomètres/heure. Du moins c'est ainsi que la petite Rose voyait les choses. Quand l'express de 16 h 42 fonçait sous la passerelle de Trifouilly-les-Genoux, elle imaginait en sautillant (parce qu'elle n'aimait pas la trépidation du sol dans ses petites guibolles) que les passagers étaient plaqués au fond de leur siège et hurlaient (comme elle dans le manège de la place du marché quand elle montait dans le taxi de Oui-Oui), elle ne pouvait pas les imaginer *dodelinant* tranquillement.

Après cela, mère toute ragaillardie et fillette poliment patiente, elles allaient chercher le pain du soir (but officiel de leur sortie) et rentraient à la maison. En général, la mère de Rose, qui avait vaguement préparé un frichti pour le dîner, s'asseyait à la table de la salle à manger, tricotait un pull pour Rose (avec un jacquard d'ours polaires, de pandas, ou de boas constrictors – n'importe quel animal, tant qu'il était exotique) en regardant un documentaire télévisé sur un bout du monde ou l'autre. Rose s'installait sur le canapé et, selon l'âge qu'elle avait au moment des faits, s'endormait, mangeait des Treets ou feuilletait nonchalamment l'un des innombrables catalogues que sa mère récoltait dans les deux agences de voyages de la ville. Vers huit ans, Rose tenait un cahier dans lequel elle collait les images de « tous les endroits où elle rêvait d'aller » (*dixit* sa mère) qu'elle avait soigneusement découpées dans les catalogues. Il y avait bien sûr des plages à cocotiers et sable fin, mais aussi, ce qui ne laissait pas de dérouter sa mère, des photos de chambres d'hôtel immaculées et astucieusement agencées. Rose adorait s'imaginer dans ces chambres d'hôtel. Cela faisait d'ailleurs partie des gentilles rêveries érotiques qu'elle s'accordait le soir pour entrer dans le sommeil. L'érotisme tenait à la chambre et non à ce qui aurait pu s'y passer. Il s'agissait à proprement parler plus de rêveries voluptueuses. Elle pouvait se déplacer dans ces chambres comme elle l'entendait, les pieds enfoncés dans la moquette épaisse de 10 centimètres, ou alors vautrée sur le lit en train de prendre son petit déjeuner (sur les photos des chambres, il y avait souvent un plateau en métal ouvragé posé sur le lit avec une théière, un jus d'orange, une grappe de raisin, un journal, et autres béatitudes matutinales).

Quand le père de Rose rentrait du travail et qu'il les trouvait, l'une devant un programme sur la grande barrière de corail et l'autre à cocher des chambres d'hôtel, il était impossible qu'il ne prît pas la chose comme un reproche. Ou du moins comme une légère accusation concernant ses manquements.

En effet, « voyage », chez les Dufour comme chez beaucoup d'autres, signifiait « vacances ». Mais qui disait vacances chez les Dufour disait camping.

Rose aimait bien le camping. Parce qu'ils allaient toujours à la résidence de plein air « Les Biches » en Vendée au milieu d'une pinède qui donnait sur les dunes (c'était son père qui appelait le camping « la résidence de plein air » durant les soirées diapo avec la famille ou les voisins). Rose appréciait particulièrement qu'à l'intérieur du cercle formé par le camp ses parents la laissaient faire beaucoup plus de choses qu'à la maison. Parce que son père partait souvent à la pêche à la grenouille (ou au ramassage des « cagouilles » dans les dunes, vu que parfois il y avait des étés vraiment pourris côté météo) et que sa mère oubliait de la surveiller, reprise par sa neurasthénie estivale à remplir des grilles de mots croisés, écouter Pierre Bellemare, préparer des cuisses de grenouille au persil et à l'ail, et faire quatre fois par jour le chemin plage-caravane. Rose pouvait ne pas se laver les dents, se coucher tard, prendre une douche un jour sur trois, et courir à droite à gauche à partir du moment où elle ne sortait pas des limites du camping.

Quand Rose eut vingt ans, elle trouva un travail dans le bureau français d'une fabrique de pâte à papier norvégienne. Et elle commença à voyager. Sa mère fut enchantée. Rose lui envoyait scrupuleusement une carte postale de tous les endroits où elle se rendait. L'usine de pâte à papier fut rapidement rachetée par un groupe chinois puis par un groupe coréen, et Rose se mit à sillonner la planète. La mère de Rose, quand on lui demandait des nouvelles de sa fille, répondait toujours qu'elle avait un bon emploi qui la faisait beaucoup voyager. Les gens approuvaient. Tout le monde sait que le fait de voyager est le signe d'un bon emploi. Et d'une vie bien réussie.

Pour tout vous dire, et cela ne vous étonnera guère, ce qu'aimait particulièrement Rose, c'étaient les aéroports. Elle se sentait bien et nulle part, dans un aéroport. Elle aimait le calme qui y régnait, la déambulation subaquatique des voyageurs, l'attente, le sommeil inconfortable sur les sièges trop durs, la nourriture internationale, les sourires plastifiés du personnel au sol, les boutiques de souvenirs, les toilettes impeccablement propres, plus grandes que son appartement, le murmure permanent, les gens qui priaient au milieu des salles d'embarquement, ceux qui s'interpellaient discrètement dans des langues impossibles, ceux qui dormaient la bouche ouverte, abandonnés, ceux qui s'étaient équipés (grosses chaussettes dans les sandales, coussin pour la nuque autour du cou en permanence, pantalon mou et veste polaire), ceux qui parlaient un tout petit peu trop fort dans leur téléphone en faisant les cent pas, ceux qui essayaient de faire dormir les petits enfants, ceux qui se disputaient calmement. Et puis surtout, ce que Rose aimait, c'était la sensation physique de l'impatience, de l'attente et de la résignation, cette sensation de fatalité inhérente à tout voyage aéroporté. Elle chérissait cette impression d'être hors du monde comme si elle s'était retrouvée sur une aire d'autoroute géante. Tout y était feutré, luisant, civilisé, interchangeable.

Toutefois, ce que Rose aimait encore plus que les aéroports, vous vous en doutez, je vous sens sagace et attentif, c'était rentrer chez elle, retrouver son chat, ramasser son courrier, et passer un coup de fil à sa mère pour lui raconter son séjour.

Un matin qu'elle devait prendre l'avion pour Calcutta (le groupe norvégo-sino-coréen venait de racheter deux imprimeries indiennes, c'était là que tout se ferait bientôt, l'Occident n'étant même plus prêt à payer les prix de l'impression chinoise), elle ouvrit les portes de l'armoire à pharmacie pour trouver son dentifrice petit format et elle se vit dans les trois miroirs plaqués sur les battants. Elle se vit multipliée à l'infini. Elle eut un vertige. Elle était de plus en plus minuscule. Et tout au fond, son visage disparaissait dans une brume grise. Elle devenait floue. Altérée. Elle ressentit un choc. Elle se dit qu'à force de bouger dans tous les sens elle allait se perdre en chemin, se désintégrer, que chacune des cellules de son corps finirait par former comme une traîne derrière elle, particules de Fée Clochette, et qu'il ne resterait plus rien d'elle. Elle se rendit compte qu'elle n'avait jamais voulu voyager, elle avait seulement voulu se souvenir des voyages.

Ou qu'on lui relate des voyages.

Elle a pensé à une histoire qu'on lui avait racontée et qui concernait le poète Édouard Glissant. Il avait souhaité écrire un livre sur l'île de Pâques mais, ne pouvant s'y rendre en raison – elle ne savait plus bien – de problèmes de santé ou d'un agenda trop rempli ou de l'à-quoi-bonisme, il y avait envoyé sa femme, la plasticienne Sylvie Séma, afin qu'elle lui rapporte un maximum d'informations. Grâce sans doute à la nature particulière de leur relation et au talent de chacun, il avait écrit *La Terre magnétique,* un livre d'une précision extrême et incroyablement évocatrice pour quelqu'un qui n'avait jamais mis un pied sur l'île de Pâques, et n'avait pas bougé, grands dieux, de sa terrasse.

Alors Rose Dufour, somptueusement casanière, qui n'aimait que la routine et la répétition du même, décida que c'en était fini, elle ne voyagerait plus, elle cultiverait son jardin, comme disait l'autre, elle se ficherait de renoncer au marqueur social valorisant du voyage, elle se ferait plante ou, encore mieux, minéral, elle achèterait un billet d'Orient-Express pour sa mère et l'appellerait pour solennellement s'engager auprès d'elle à ne plus faire le tour du monde à sa place.

À ce moment, au moment où elle envoya tout valser, elle fit une petite pirouette sur elle-même et devint, n'en déplaise aux modernes, la femme la plus heureuse du monde.

Camille PASCAL

Le Dernier Voyage
de l'impératrice

Haut fonctionnaire, Camille Pascal est agrégé d'histoire. Après avoir enseigné en Sorbonne et à l'EHESS, il a été le collaborateur de plusieurs ministres et le conseiller du président de la République Nicolas Sarkozy. Il est notamment l'auteur de *Scènes de la vie quotidienne à l'Élysée*, des *Derniers Mondains* et de *Ainsi, Dieu choisit la France*. Son roman *L'Été des quatre rois*, paru aux Éditions Plon, a reçu le Grand Prix de l'Académie française.

L'impératrice ne hurla pas, l'horreur du crime suffisait à son effroi, mais elle murmura aussitôt la prière apprise du Sauveur. Des larmes noires coulaient à travers le khôl avant de dévaster les ombres bleues peintes à la hâte quelques heures plus tôt pour essayer d'effacer les cernes d'une nuit sans sommeil. Crispus, le fils premier né de son propre fils, espoir de l'Empire et « prince de la jeunesse », le vainqueur des Francs sur le Rhin, venait de se donner la mort quelque part en Istrie sur ordre de son père, l'empereur Constantin. La terrible nouvelle avait mis un mois à lui parvenir, mais elle était certaine. Comme Hippolyte, le jeune César était tombé dans les raies ensorcelées de sa belle-mère, l'impératrice Fausta. En couchant avec elle, il avait tout à la fois déshonoré le lit impérial et défié son père. La vengeance de Constantin ne s'était pas fait attendre. Une lettre portant le sceau impérial avait suffi pour que le jeune homme se tranche aussitôt les veines comme doit le faire un vrai Romain. L'infanticide punissait l'inceste, le meurtre punissait l'adultère, le crime punissait le crime, le père ordonnait la mort de son fils, et le mari celle de sa femme. L'horreur était partout et le pardon nulle part. Fausta avait été retrouvée ébouillantée dans un bain trop chaud. L'impératrice Hélène savait depuis des semaines par les eunuques à sa solde que sa belle-fille portait en son flanc le fruit d'amours interdites. Cette païenne ivre de pouvoir croyait peut-être donner ainsi naissance à une nouvelle dynastie divine à l'égal des pharaons de l'ancienne Égypte, mais Rome n'était pas Thèbes et, par cette passion folle, la femme de l'empereur menaçait le nouvel ordre du monde. La naissance d'un bâtard incestueux fruit des amours d'un fils avec la femme de son père ne pouvait pas voir le jour. La honte de l'empereur avait été noyée dans l'eau bouillante.

Les larmes irisaient maintenant d'étoiles sombres la soie épaisse de la tunique impériale, mais aucune des femmes de son service n'osait s'approcher d'Hélène pour tenter d'en effacer les taches minuscules.

L'impératrice douairière priait de toute son âme pour que cette cascade de crimes ne vienne pas détruire l'œuvre de sa vie et pour que la mort de son petit-fils ne condamne pas à la géhenne son propre fils. Simple fille d'auberge, elle avait été contrainte dans sa jeunesse de soulager les voyageurs à même l'étable avant d'être prise comme concubine par un officier de la garde prétorienne caserné en Bithynie où il soignait sa tuberculose et auquel elle avait eu la chance de donner Constantin. Par les désordres des temps et la volonté de Dieu, le jeune officier était devenu César puis Auguste sous le nom de Constance-Chlore avant d'être contraint de la répudier pour épouser une princesse née dans la pourpre, mais il ne les avait jamais abandonnés, elle et son fils. Aujourd'hui, après vingt ans de guerres intestines,

Constantin restait le seul maître d'un empire que ses prédécesseurs n'avaient cessé de diviser par des partages honteux. Il régnait d'une extrémité du monde à l'autre, et l'évocation de son seul nom courbait toutes les nuques depuis les colonnes d'Hercule jusqu'aux confins de l'Orient désert, et cela pour la plus grande gloire de Dieu. Car Hélène le savait au fond de son âme, Constantin avait été élu par Dieu pour répandre sur le monde la religion du Christ. Ils étaient, elle et lui, des instruments dans la main du Seigneur et elle ne laisserait ni le chagrin ni la haine les écarter de cette route.

Au palais régnait un silence de catacombe, car aucune des rumeurs de Rome, affolée par la perte de celui qui devait devenir un jour son nouvel empereur et par l'annonce de la mort de Fausta, ne parvenait jusqu'à la chambre de l'impératrice. Des cris séditieux étaient venus se briser sur les hauts murs de brique et les portes de bronze, mais jamais la plèbe n'aurait osé venir troubler le chagrin d'une aïeule qui répandait les aumônes avec autant de générosité que son fils l'empereur le faisait du sang des Romains. Soudain, l'impératrice agenouillée se releva et ordonna que l'on prépare sa litière, elle voulait se rendre dans l'instant sur la tombe des apôtres Pierre et Paul. Eux seuls dans ces moments funestes pouvaient l'inspirer.

Lorsque le petit cortège arriva sur les hauteurs du Vatican, l'impératrice contempla l'immense chantier. Sur l'ordre de son fils, des milliers d'hommes achevaient de détruire l'ancien cirque de Caligula et comblaient la vieille nécropole pour servir de terrassement à la basilique qui devait s'élever au-dessus de la tombe de l'apôtre Pierre. À la vue de la litière impériale précédée des comtes du palais et escortée par la cohorte, le bruit de toute vie cessa, les ouvriers et les esclaves tombaient face contre terre les uns après les autres. Hélène fit arrêter ses porteurs pour mettre pied à terre en signe d'humilité, et c'est en marchant qu'elle se rendit jusqu'à la future abside pour implorer l'apôtre, car seule la prière parvenait à lui faire oublier la douleur qui déchirait son ventre et lui lacérait le cœur. Elle priait avec ferveur, entourée de ses prêtres, de ses chapelains, de ses diacres et de toute la cour du Palatin, mais ne pleurait plus. Les larmes se tarissaient et à la douleur se substituait une volonté, une volonté inébranlable qui s'imposait à elle, comme elle s'était imposée toute sa vie. Une volonté d'airain que rien, pas même l'empereur, ne parviendrait à faire plier. Pour sauver son fils des tourments de l'enfer et de la réprobation des chrétiens, elle accomplirait l'impensable. Elle ramènerait le Christ à Rome et avec lui sa Miséricorde.

L'évêque de Rome, le pape Sylvestre, accourut au-devant de l'impératrice depuis le Latran. Il savait déjà les crimes odieux, il savait la douleur indicible d'Hélène et craignait, à son tour, pour le fragile équilibre de l'Empire. Lui se souvenait des persécutions de Dioclétien. À l'époque il n'avait dû la vie sauve qu'à la mort de son tortionnaire, le préfet Tarquin, qui s'étouffa miraculeusement avec une arête de poisson le jour même de son arrestation. Ses geôliers y virent un mauvais présage et lui un miracle et fut libéré au lieu d'être jeté aux lions. Sylvestre savait aussi le rôle d'Hélène dans la conversion de Constantin, car depuis son avènement les persécutions non seulement avaient cessé, mais l'empereur comblait l'Église de ses bienfaits.

N'avait-il pas refusé publiquement de pratiquer les anciens sacrifices au risque de scandaliser le sénat et de mécontenter la plèbe ? N'avait-il pas offert à l'évêque de Rome, successeur de Pierre, le palais de l'usurpateur Maxence où lui-même siégeait désormais avec toute la cour pontificale ? N'avait-il pas vidé les temples païens de leurs trésors antiques pour entourer la Ville éternelle d'une constellation d'églises, de basiliques, de baptistaires et de pieux établissements qui assiégeaient à présent le Capitole avant d'en renverser définitivement les dieux vides ? L'empereur n'avait-il pas compté lui-même, et une à une, les 3 708 pièces d'or pour la construction de cette immense basilique dont les murs s'élevaient, là, sous leurs yeux ? Enfin, bien plus précieux que cette pluie d'or, l'empereur Constantin était parvenu à imposer le silence aux ariens et aux donatistes et à tous ces hérétiques sans foi ni loi qui marchandaient la Sainte Trinité et la double nature du Christ. Si, par malheur, la mort de Crispus ouvrait la voie à une nouvelle guerre civile, le risque était grand de voir un général apostat ceindre le diadème et abjurer le vrai Dieu pour revenir aux anciens dieux ou pire encore embrasser l'hérésie d'Arius. Les demi-frères de Constantin, tapis dans leur exil doré, n'attendaient qu'un signe pour réveiller l'esprit de la guerre civile et mettre fin à la tolérance religieuse dont bénéficiaient les chrétiens. Alors les hérétiques seraient lâchés tels des chiens enragés sur l'Église du Christ et la déchireraient pour la dévorer comme le dragon de l'Apocalypse apparus à saint Jean. Lorsque, dans un chuchotement, l'impératrice lui fit part de son vœu, le pape tomba prosterné et

Hélène eut la bonté de croire que c'était là un geste de vénération pour l'apôtre.

Comme toujours l'empereur céda à sa mère, elle accomplirait son voyage quand bien même l'automne, les tempêtes d'équinoxe, les pluies et les premiers frimas menaçaient. L'impératrice douairière n'avait rien voulu entendre des conseils de prudence ; à bientôt quatre-vingts ans, elle ne pouvait pas se permettre de retarder son départ, Dieu lui ordonnait de s'en aller et rien ne devait faire obstacle à la volonté de Dieu. Constantin exigea néanmoins de sa mère qu'elle renonce à voyager par mer et la supplia de suivre le tracé balisé des grandes routes. Déjà des courriers quittaient Rome pour annoncer les réquisitions à faire et mobiliser la poste impériale. Personne, hors la mère de l'empereur, ne pourrait utiliser les montures et les greniers publics. Partout celle qui portait depuis deux ans déjà le titre d'Augusta devrait être reçue comme l'empereur en personne dont elle était le reflet aveuglant et la mère révérée. Partout les domaines impériaux seraient à sa disposition, partout elle serait accueillie avec la déférence due à la pourpre. Chacun devait venir se prosterner devant elle pour lui renouveler son serment de fidélité à Rome et son empereur. Partout elle devrait être saluée comme le *salut et l'espoir de l'État, mater, genetrix, prorcreatrix* de l'empereur et aïeule de tous les Césars vivants.

Pour donner plus de solennité encore à ce voyage, mais aussi par crainte de ne plus jamais la revoir un jour, Constantin décida d'accompagner sa mère jusqu'à Milan. Là elle obliquerait vers l'Orient quand lui partirait faire une tournée d'inspection des frontières septentrionales. Le jour du départ, le lourd char de voyage à quatre roues utilisé par les empereurs dans leurs déplacements s'engagea dans la voie Flaminia, mais, à la stupéfaction de la plèbe, il était surmonté de deux trônes, Hélène cheminait aux côtés de son fils et assise à sa hauteur. La milice dorée, substituée à l'ancienne garde prétorienne renvoyée pour avoir proclamé trop d'usurpateurs, ouvrait la marche précédée du *labarum*, l'étendard impérial sur lequel brillait le chrisme, ce signe par la puissance duquel Constantin avait écrasé les légions de Maxence au pont Milvius avec l'aide de la toute-puissance divine. Comme l'exigeait un rituel très ancien, le sénat au grand complet se devait d'accompagner le couple impérial sur une distance de 6 milles par-delà les murs de la cité, mais l'impératrice avait demandé que les pères conscrits doublent cette distance dès lors qu'ils l'accompagnaient, elle et son fils. À double majesté, le sénat devait témoigner doublement son respect. Le regard fixe, la pose hiératique, Hélène portant la chlamyde pourpre constellée de pierres précieuses et le diadème impérial orné des perles de Cléopâtre savourait l'humiliation publique infligée à ces aristocrates arrogants qui se croyaient l'âme éternelle de Rome, sacrifiaient aux dieux de l'Olympe par des rites impies et des saturnales indécentes, fouillaient les entrailles encore chaudes de pauvres bêtes pour y voir un avenir qui n'appartenait qu'à Dieu, se remplissaient la panse de la misère du peuple et brutalisaient leurs esclaves pour réveiller des désirs assoupis ou assaisonner leurs plaisirs infâmes. À la vérité, ces patriciens ne croyaient à rien et leur religion civique n'était qu'un simulacre destiné à barbouiller de sacré la défense de leur caste, de leurs intérêts et de leurs privilèges. Elle les haïssait autant qu'ils la détestaient. Aucune des insultes qu'ils utilisaient pour la désigner en privé ne lui était inconnue, car, à leurs yeux, elle restait la fille d'auberge, la concubine de Constance-Chlore, et une telle putain ne pouvait avoir accouché que d'un bâtard devenu leur empereur par un terrible coup du sort et l'aide de ces maudits chrétiens qui étaient en train de s'emparer de l'Empire sous leurs propres yeux. Heureusement pour le sénat que le martyre des apôtres Pierre et Paul sanctifiait à jamais ce bourbier qu'était Rome, car, sans cela, Hélène n'aurait pas manqué de suggérer à son fils d'abandonner l'ancienne ville des Césars à sa crasse et à son paganisme. Au son des trompes et des buccins de cuivre, le long cortège s'ébranla. Derrière les voitures de la Cour cheminaient de lourds chariots tirés par des bœufs essoufflés et chargés d'énormes coffres bardés de fer. L'Augusta avait obtenu qu'ils soient remplis de monnaies d'or pur fraîchement frappées par les ateliers impériaux, car elle voulait être certaine que ces pièces destinées à son voyage et à de pieuses fondations étaient vierges de tout commerce impie ou malhonnête.

Le voyage fut long, le plus long peut-être jamais entrepris par Hélène, qui n'avait pourtant cessé de parcourir au cours de sa vie les routes de l'Empire. Après avoir quitté l'empereur à Milan, le convoi et son escorte firent halte à Aquilée, puis à Sirmium et Naissus avant d'atteindre Philippopolis et, de là, cheminer vers Byzance où Constantin souhaitait que sa mère fasse halte pour l'hiver et attende l'arrivée des beaux jours avant de poursuivre sa route à travers l'Orient. À chaque étape les mêmes rituels, les mêmes acclamations et les mêmes gestes se renouvelaient. Il suffisait d'indiquer à l'impératrice la tombe de martyrs victimes des persécutions de Néron ou de Dioclétien pour qu'elle ouvre ses coffres et ordonne que l'on élève une église ou une basilique sur leurs sépultures, dignes de vénération. L'impératrice restait droite des heures entières sur le char d'apparat pour s'offrir à l'adoration des foules, mais, à son arrivée en Thrace, elle montra quelques signes de fatigue, son corps ne se soumettait plus à sa volonté, il lui arrivait d'avoir des absences, de somnoler pendant les harangues. Le légat qui commandait la colonne prit peur, l'empereur s'était montré très clair, il lui confiait la sécurité de sa mère, il aurait donc à en répondre non seulement sur sa vie, mais encore sur celle de sa propre famille demeurée à Rome. Le jeune général savait que la mort d'Hélène serait immédiatement suivie du massacre de tous les siens et couronnée par son propre suicide. Aussi supplia-t-il l'Augusta de renoncer à rejoindre Byzance pour aller s'embarquer au port d'Alexandria Troas afin d'éviter un trop long détour par l'est. La vieille dame se laissa convaincre, car elle commençait à se lasser de cette route qui n'en finissait pas et sentait que ses forces l'abandonnaient. Elle priait pour que Dieu lui permette d'atteindre le but de son voyage. Ce raccourci venait au secours de ses prières.

En quelques jours à peine, la flotte impériale qui attendait l'impératrice à Byzance fut en vue et des murmures d'admiration se firent entendre lorsque l'on aperçut au loin la belle voile rouge déployée sur l'immense trirème entièrement dorée. Par égard pour la mère de l'empereur qui refusait d'être servie par des esclaves, les rameurs avaient été choisis parmi les hommes libres. Pour atténuer l'odeur pestilentielle qui montait des ponts intérieurs où les relents de pisse se mêlaient aux remugles de ce bétail humain, des feux d'aromates brûlaient nuit et jour sur des trépieds de bronze. De façon à dissuader les velléités d'abordage sur une mer qui n'était jamais sûre, la tête de tous les pirates trouvés dans les geôles de Byzance s'étaient retrouvées clouées sur les proues des trirèmes d'escorte et, fort de cet exemple, personne n'attentat jamais à la majesté d'Hélène. Les grandes voiles pourpres frappées des symboles impériaux suffisaient à semer la terreur chez tous les naufrageurs. Après avoir mouillé à Antalya, la petite flotte fit donc la traversée jusqu'à Chypre. Une traversée houleuse et difficile comme la mer Méditerranée peut en réserver aux passagers des mauvaises saisons. Les trépieds de bronze roulèrent sur les tapis précieux qui calfeutraient le pont et, quand les hommes malades se vidaient au-dessus du bastingage, l'on étendait aussitôt sous les yeux de l'impératrice toujours imperturbable de grands draps de soie afin de lui éviter un spectacle contagieux. À Chypre, le légat et ses officiers jugèrent plus prudent d'attendre le retour du printemps pour se lancer dans une nouvelle traversée. Les hommes étaient épuisés, les avaries nombreuses, et il était urgent de rassurer l'empereur Constantin entré dans une colère homérique lorsqu'il avait appris que, contrairement à ses ordres, sa mère ne se reposait pas à l'abri des hauts murs de Byzance mais franchissait les mers en plein hiver, s'offrant ainsi à la vengeance du dieu Neptune auquel plus personne ne sacrifiait.

De son côté, faisant contre mauvaise fortune bon cœur, Hélène arpentait l'île, créait encore églises, chapelles et monastères et exigeait des gouverneurs de Phrygie, de Cilicie et de Syrie qu'ils envoient de nouveaux colons pour la peupler de paysans et de fidèles. Partout elle cherchait les traces de saint Paul ou d'Origène qui avaient marqué l'île de leur passage, interrogeait sans relâche la mémoire des vieillards et se faisait apporter les papyrus les plus anciens. Quand le temps était maussade et la promenade impossible, elle entamait de longues discussions théologiques avec Spyridon, l'évêque de Trimythonte qui avait participé l'année précédente au grand concile de Nicée[1] où il pourfendait l'arianisme avec autant d'éloquence que d'élégance. Elle aimait cette pensée limpide, enchâssée dans une langue pure dont l'extrême concision restait à ses yeux ce qu'il y avait de plus beau dans le nouveau Credo.

Enfin revinrent les beaux jours, le vent tomba et la flotte put s'embarquer pour fendre sans escale jusqu'à Tyr. En descendant de bateau, échappant à ses dames de compagnie et avant même que les officiers de la milice dorée n'aient pu la retenir, elle se prosterna à même le sol. Pour la première fois de sa vie, elle posait ses pas dans ceux du Christ lui-même, car elle savait par les saints Évangiles que le Sauveur s'était retiré, ici même, à Tyr, pour

---

1. Ce concile réuni sur l'ordre de Constantin à Nicée en 325 après Jésus-Christ a fixé une grande partie du dogme chrétien sur la Sainte Trinité, de façon à maintenir l'unité de l'Église alors en proie aux débats théologiques. On lui doit aussi la préparation du Credo et la fixation de la date de Pâques.

essayer de trouver, comme elle, un peu de repos et de quiétude.

Aujourd'hui Hélène débarquait à Tyr pour implorer le Christ comme l'avait fait la Cananéenne du Livre de Matthieu, mais c'est la délivrance de son fils qu'elle était venue demander, car lui aussi était aux mains des démons, des démons impitoyables, le démon du soupçon et du pouvoir absolu. Aussi restait-elle allongée par terre, les bras en croix.

Le gouverneur de Palestine venu au-devant de l'impératrice demeura interdit devant cette scène parfaitement contraire au protocole impérial et, ne sachant qu'elle attitude adopter, il plongea à son tour le nez dans la poussière, marmonnant des mots sans suite auxquels il donnait l'accent d'une prière. À sa suite, tout le monde fit de même, y compris les nobles païens.

Il ne restait plus qu'une centaine de lieux à parcourir pour que, après un très long voyage, le convoi arrive enfin à destination. Sur la route, l'impératrice était silencieuse, récitant simplement à voix basse le long chapelet d'or et d'ivoire éternellement pendu à sa ceinture quand un cri – *Jérusalem !* – repris de bouche en bouche la tira soudain de sa prière. Elle touchait enfin au but et rendit louange à Dieu de le lui avoir permis. Les serviteurs remontèrent les rideaux de la litière et avancèrent le tabouret d'argent qui permettait à Hélène de mettre pied à terre. Il régnait dans l'air une douceur particulière, car l'on était au premier jour du mois de mai, un vent léger rendait chaque geste agréable et le soleil du matin chauffait agréablement les visages. Jérusalem était là devant elle, mais l'impératrice qui connaissait toutes les capitales de l'Empire depuis

Trêves jusqu'à Nicomédie pour y avoir vécu au gré des tribulations de sa longue existence resta interdite. La Ville sainte ressemblait à un misérable tas de cailloux jetés là au hasard. La Jérusalem terrestre n'était qu'une misérable bourgade des confins de l'immense empire sur lequel régnait son fils. Elle avait donc accompli un voyage interminable au péril de sa vie pour se retrouver face à un village brûlé par le soleil où quelques chèvres parcouraient des ruelles étroites en mangeant l'herbe rare qui poussait difficilement entre des pavés pourtant témoins de la Passion du Christ. Hélène se sentit envahie par une immense déception et un terrible découragement. Maintenant elle était lasse, fatiguée de prier et de souffrir, presque soulagée de mourir bientôt sur cette terre aride, mais au bout de quelques instants elle se ressaisit puis, levant une nouvelle fois le regard vers la ville de la Résurrection, elle vit et tout à coup elle comprit. Elle comprit la parole du Seigneur disant à ses disciples : « Mon royaume n'est pas de ce monde », et elle eut honte, terriblement honte, non pas des péchés de sa jeunesse – dont sa vie n'avait été qu'une longue expiation – mais honte de ce qu'elle était devenue. Honte de cette pompe qui l'entourait, honte de la pourpre dont elle était vêtue, honte du diadème et de ces vains ornements qui brusquement lui pesaient plus sûrement que la vieillesse, honte de la servilité de ceux qui l'entouraient, honte de la peur qu'elle voyait dans tous les regards, honte de ce titre d'Augusta qu'elle avait arraché à son fils pour ne jamais avoir à plier le genou devant Fausta, sa bru incestueuse, honte de ce titre qu'elle aimait porter à la face du sénat, honte, enfin, de cet énorme bloc de porphyre – le plus grand jamais tiré des carrières d'Égypte – que Constantin faisait venir à Rome à grands frais et dans le plus grand secret pour y faire sculpter son sarcophage. Alors que deux serviteurs de sa suite lui approchaient la grande chaise curule pour qu'elle puisse jouir de la vue sur Jérusalem, Hélène fit un signe à ses dames de compagnie, toutes d'anciennes vestales converties au Christ, issues des plus anciennes familles de Rome, et leur demanda, dans le creux de l'oreille, de bien vouloir l'aider à se déchausser. Les femmes eurent un geste de recul, car elles ne pouvaient admettre que leur impératrice quitte ainsi publiquement les chaussons de maroquin rouge, symboles de son rang, sinon pour aller se mettre au lit, et l'on était au contraire de bon matin. Partout, l'empereur et l'impératrice marchaient ainsi, les pieds chaussés de la couleur du pouvoir suprême, et il était impensable pour la mère de l'empereur de se présenter dans un tel dénuement devant ses sujets de Palestine. Pourtant, à la deuxième requête exprimée d'un souffle rauque, elles s'exécutèrent et se mirent à genoux pour déchausser leur maîtresse, et c'est bien pieds nus qu'elle partit à la rencontre du patriarche de Jérusalem dont la suite venait de quitter la ville pour l'accueillir.

L'évêque Macaire avait non seulement été prévenu de l'arrivée imminente de l'impératrice Hélène dès son arrivée dans le port de Tyr, mais il connaissait en outre parfaitement le but de son voyage, car, depuis le concile de Nicée où il s'était révélé aussi savant qu'habile, il entretenait avec l'empereur Constantin une correspondance nourrie. C'est en franchissant la porte Dorée par laquelle le Christ été entré dans Jérusalem que le patriarche, accompagné de tout ce que la Palestine comptait de diacres, de prêtres et de thuriféraires, vint à la rencontre de l'impératrice. Par signe d'humilité, il était lui aussi monté sur un ânon, mais il fut littéralement désarçonné lorsqu'il vit arriver à lui la mère de l'empereur, les pieds en sang, se soutenant à peine aux bras du légat et de ses servantes. Il lui offrit sa bénédiction comme il aurait tendu sa gourde à une femme mourant de soif. La vieille femme paraissait épuisée, mais son regard perçait à travers la fatigue comme la vrille du maçon entame le marbre le plus dur. C'est à peine si l'on pouvait le soutenir tant il brûlait tout à la fois de passion, d'espérance et de ferveur. Sur l'insistance de l'évêque et du légat, Hélène accepta de remonter sur sa litière et Macaire chemina à ses côtés. Jérusalem, détruite de fond en comble par l'empereur Hadrien, n'était plus qu'une carrière dont on tirait des pierres pour alimenter les projets grandioses de Constantin. L'impératrice savait tout cela, mais elle écoutait néanmoins avec patience les explications empressées de l'évêque heureux de pouvoir faire étalage de sa science architecturale et de lui montrer l'état d'avancement des travaux. En revanche, elle ne put réprimer un cri d'indignation lorsqu'elle comprit de cette abondance de paroles que l'ancien palais du roi Hérode, fraîchement restauré, serait sa résidence. D'un geste, elle fit arrêter la colonne, exigeant de faire demi-tour ; jamais elle ne coucherait dans la maison d'Hérode, jamais elle ne parviendrait à trouver le sommeil, là où Jean le Baptiste avait été décapité et le Christ outragé. Elle dormirait hors les murs de la ville, à même le sol, comme les bergers qui n'avaient que leur manteau pour tout matelas la nuit de Noël où Dieu s'était fait homme. Macaire conscient de sa bévue se mordillait l'intérieur des joues pendant que le légat suppliait, la très haute, très puissante et très glorieuse impératrice de ne pas s'exposer à de telles rigueurs. L'empereur ne l'autoriserait pas. Hélène restait silencieuse, car elle ne voulait pas agir par caprice, mais simplement par humilité et amour du Christ. Le patriarche de Jérusalem profita de cet instant suspendu pour retrouver ses esprits et proposer une solution. De pieuses femmes s'étaient installées dans une belle maison construite sur la colline de Sion pour se retirer du monde et prier à l'endroit même où l'Esprit saint était descendu sur les apôtres. L'impératrice trouverait là un refuge à la hauteur de sa modestie, mais digne de son rang, et il suffirait aux cohortes d'installer leur camp militaire tout autour de la colline pour assurer sa protection. Hélène accepta et le légat remerciait déjà l'évêque du regard quand elle voulut de nouveau descendre de sa litière ; elle refusait maintenant d'être portée par des hommes là où le Christ avait porté sa croix pour le salut des hommes. Cette fois, l'ordre resta sans réplique et elle fut obéie. Elle titubait, tombait à terre les pieds et les mains blessés, mais refusaient toute aide et se relevait seule, avant de tomber de nouveau sous l'œil épouvanté du légat et de ses légionnaires. Des chèvres intriguées et un chien pelé suivaient attentivement ce grand remue-ménage de légionnaires, de chevaux et de luxe sacerdotal dans la poussière des chemins et des rues.

Macaire passa la nuit en prières et en réflexions. Il était mécontent de lui – ce qui était rare – car il ne se pardonnait pas sa maladresse de la veille et craignait que les courriers impériaux partis à l'aube et au grand galop pour prévenir l'empereur de la présence de sa mère en Terre sainte n'emportent des lettres le condamnant aux yeux de Constantin. Un an plus tôt, l'empereur l'avait pourtant chargé d'une mission de la plus haute importance. Mission dont il s'acquittait depuis avec un zèle fervent. En effet, dès son retour du concile de Nicée, il avait commencé par faire abattre le temple de Vénus construit sur ordre de l'empereur Hadrien à l'emplacement même où le Christ avait été crucifié puis mis au tombeau. Les statues de cette déesse de la lubricité qui offensait les lieux saints depuis bientôt deux siècles avaient été martelées avant d'être envoyées au four à chaux, et l'on avait creusé, retourné les pierres pendant des jours entiers, mais en vain. On interrogeait sans relâche les anciens, ceux dont les ancêtres vivaient au temps des apôtres et notamment de Jacques, le « frère » de Jésus, le premier évêque de Jérusalem, mais tous désignaient Judée Ben Simon, car le jeune rabbin appartenait à une famille dont la présence à Jérusalem était attestée depuis plusieurs siècles malgré le terrible exode ordonné par l'empereur Titus. Lui savait où le Christ avait été déposé après son supplice et comment le grand prêtre Caïphe s'était débarrassé des instruments de son martyre devenus impurs aux yeux de la Loi juive. Interrogé d'abord avec douceur, le jeune homme refusait obstinément de révéler un secret transmis de génération en génération. Le patriarche perdit patience et le fit jeter au fond d'une citerne antique. Au bout de sept jours passés à se morfondre dans ce trou sans eau ni pain, le malheureux voulut bien dire son secret. En échange de cette révélation, Macaire lui offrit celle du Christ et le baptisa du nom de Cyriaque. Grâce aux indications fournies par le nouveau converti, Macaire venait de faire une découverte prodigieuse dont il était bien décidé à laisser tout le mérite à la mère de l'empereur. Une fois ses oraisons achevées, il demanda sa mule et son bâton pour rejoindre l'impératrice sur la colline de Sion. Cyriaque le suivait. De là, ils devaient se rendre en procession sur le mont du Calvaire. Hélène, elle, était restée éveillée toute la nuit, s'abîmant dans la macération et la prière.

Le soleil se levait à peine, redorant patiemment chaque feuille des quelques oliviers qui parcouraient le chemin jusqu'au Golgotha. L'évêque, sans s'étendre sur les conditions dans lesquelles il avait obtenu de précieux renseignements, expliquait à l'impératrice que les ouvriers creusaient sans répit à l'endroit indiqué par Cyriaque et qu'il avait bon espoir de retrouver – c'était là sa propre expression – « le signe de la reconnaissance de la bienheureuse Passion, longtemps caché sous terre... » Hélène fermait les yeux, n'osant pas comprendre le sens de ces propos rendus presque inintelligibles à force d'onctuosité épiscopale et de préciosité littéraire.

Ils approchaient maintenant d'un vaste chantier où la terre était entièrement retournée. Un groupe d'hommes semblaient creuser une profonde galerie souterraine dont ils sortaient des sacs de pierre quand d'autres tiraient sur les cordes d'une haute grue. Soudain, des cris parvinrent de l'excavation. Un homme faisait de grands signes, d'autres tombaient à genoux. Aidée par l'évêque et le légat, Hélène pressait le pas, ses pieds pourtant lacérés par le coupant des cailloux ne la faisaient plus souffrir. Lorsqu'ils arrivèrent an bord de l'excavation, un long silence se fit. Désormais, seuls les ahanements réguliers des ouvriers tirant sur la corde se faisaient entendre. Une première poutre apparut, puis une deuxième et enfin une troisième. Sur l'une d'elles, un petit panneau de bois était cloué. Celui qui paraissait être le chef de chantier le détacha d'un coup sec pour l'apporter à l'évêque qui essuya la terre crayeuse dont il était couvert en s'aidant du pan de son manteau. C'était un simple écriteau sur lequel se trouvaient quelques mots en latin, en grec et en araméen que l'évêque traduisit aussitôt en le lisant à haute voix : « Jésus le Nazaréen votre roi[1]. »

À ces mots, l'impératrice crut défaillir, mais elle trouva la force d'avancer jusqu'à cette longue poutre qui gisait à même le sol. D'un geste précis, elle défit l'épingle d'or à tête de rubis qui maintenait le savant échafaudage de sa coiffure, cette coiffure démodée dont toutes les patriciennes de Rome se moquaient, et ses cheveux se dénouèrent aussitôt, le diadème impérial roula à terre et Hélène tomba à deux genoux. Épouvantée, l'une de ses suivantes tenta d'empêcher ce sacrilège en se précipitant vers sa maîtresse, mais le glaive d'un légionnaire pointé sur sa gorge l'arrêta net dans son élan, personne ne touchait au corps de l'impératrice sans y avoir été invité. Dans le même temps, quatre hommes se plaçaient autour du diadème. Personne ne porterait

---

1. Telle est l'expression exacte qui figure en trois langues, l'araméen, le latin et le grec, sur le *Titulus Crucis* conservé dans la basilique Sainte-Croix-de-Jérusalem à Rome. Texte qui diffère légèrement de celui qui est rapporté par les Évangiles où il est dit que le *Titulus* portait l'inscription : *Jésus de Nazareth roi des Juifs*. La basilique Sainte-Croix de Rome est construite à l'emplacement exact du palais de l'impératrice Hélène.

la main sur la dignité impériale, même tombée dans les gravats, sous peine de mort.

Hélène prosternée ne voyait rien de tout cela et rampait maintenant jusqu'à la poutre mal équarrie. Elle commença par s'aider de sa chevelure foisonnante malgré son grand âge pour frotter la Croix comme Marie-Madeleine l'avait fait avec les pieds du Christ, mais ce n'était pas encore suffisant, car elle aurait aimé, comme la Vierge Marie, pouvoir enlever délicatement du front de son enfant mort les épines de la couronne d'infamie. Elle savait que, jour après jour, ceux qui prétendaient servir le Christ continuaient à lui planter les épines de leurs péchés à même le front, et Constantin, son propre fils, la chair de sa chair, l'homme pour lequel elle aurait donné sa vie, était le premier et peut-être le pire d'entre eux. Alors elle se précipita sur les clous encore fichés dans le bois, essayant de les arracher à mains nues, se cassant les ongles et se griffant les paumes, quand ses dernières forces l'abandonnèrent et qu'elle s'effondra dans un sanglot déchirant. L'impératrice n'était plus qu'une vieille femme brisée par la douleur et l'émotion, pleurant à chaudes larmes la mort de son petit-fils et les crimes de son fils sur qui elle implorait le pardon de Dieu par une prière inarticulée. Pour la première fois depuis trois siècles[1], une mère pleurait de nouveau au pied de la Croix.

Au sommet du Golgotha, une chèvre plus curieuse que les autres regardait d'un œil rond toute la puissance des hommes s'humiliant curieusement devant

1. Les événements racontés dans cette nouvelle se situent en l'an 326 et 327 après Jésus-Christ.

un morceau de bois quand, d'un bond, elle s'élança pour rejoindre le troupeau laissé sans surveillance et qui dévorait déjà à belles dents l'écorce savoureuse des oliviers de Jérusalem.

Romain PUÉRTOLAS

Qui veut la vie
de Romain Puértolas ?

Romain Puértolas a fait une entrée fracassante en littérature car son premier roman, *L'extraordinaire voyage du fakir qui était resté coincé dans une armoire Ikea*, paru aux Éditions Le Dilettante, a été encensé par la presse et le public, récompensé par le Prix Révélation de la Rentrée littéraire et adapté au cinéma. Depuis, son succès ne se dément pas. Son dernier ouvrage, *La Police des fleurs, des arbres et des forêts*, a paru aux Éditions Albin Michel.

Lorsque j'appris de la bouche de la délicieuse Charlotte le thème de cette sixième édition de *13 à table !*, il n'est pas exagéré de dire, au risque de sembler avoir le style littéraire d'une pomme de terre, mais je me lance et j'ose, que « le désarroi s'abattit sur moi ». Le voyage. Je fus sur le point de lui répondre qu'elle s'en remette à mes romans, dont le voyage était un thème prégnant, récurrent.

— Le voyage ? J'ai déjà trop écrit dessus. Pourquoi ne pas changer ? Le divorce, lui proposai-je, le surpassement de soi, l'art chilien du XIXe siècle, ou même les courses en grande surface, si tu veux, tout, mais pas le voyage, chère Charlotte !

— Le voyage, répéta-t-elle, avec une assurance terrible, ça ne devrait pas être un problème pour toi, puisqu'il y en a dans tous tes livres.

— Eh bien justement, Charlotte, justement !

Non, le voyage, c'en était trop, c'était la goutte qui faisait déborder le réservoir d'avion, le kilo qui faisait flancher dans le surpoids de bagage. Je voulais me poser un peu.

— Tu y arriveras, Romain, me lança-t-elle dans une dernière estocade avant de raccrocher.

Je me laissai alors tomber sur la première chaise qui passait par là. Effondré.

Ce fut en refermant un livre d'Umberto Eco quelques jours plus tard que je trouvai une solution. J'en avais marre d'inventer des voyages, je venais d'écrire un roman policier littéraire rural pour prendre un peu de repos, m'enfoncer dans la quiétude d'une époque sans *low cost*, sans téléphone portable, et voilà que l'on me remettait à coups de pied dans les fesses dans un vol Ryanair surbooké pour une destination inconnue. Là où je ne voyais que douleur (et je ne parle pas seulement de celle de mes genoux contre le siège de devant), Umberto ouvrit un sentier de lumière.

Ce n'était pas *Le Nom de la rose* ou *Le Pendule de Foucault*, qu'il m'avait fallu lire quelques années auparavant en compagnie d'un dictionnaire (je me rappelle m'être senti comme un lecteur bègue, un lecteur qui trébuchait sur chaque mot, qui devait ouvrir le dictionnaire à chaque phrase avant de reprendre sa lecture cahoteuse et saccadée jusqu'au nouvel écueil, mais quels beaux romans au final, l'effort en avait tellement valu la peine), non, cette fois-ci, il s'agissait d'un petit recueil de nouvelles, de quelque 279 pages (en format poche), au curieux titre de *Comment voyager avec un saumon*, trouvé sur les étagères poussiéreuses d'une vieille librairie.

L'écrivain italien y recensait des pensées de voyage, des anecdotes incroyables, débordant d'humour, des choses vraies qui lui étaient arrivées au cours de ses tournées internationales, et c'était en cela que l'opuscule était intéressant, oui, en ce sens que rien, absolument rien de ce qui s'y trouvait n'était inventé. À moi aussi il m'était arrivé, et il m'arrive encore, des histoires absurdes, dépassant parfois le plus « loufoque » de mes romans « à titre à rallonge », comme les journalistes très originaux aiment à dire. Je n'avais jamais voyagé en armoire, je n'avais jamais appris, d'une poignée de moines shaolin résidant dans une ancienne usine Renault (qu'est-ce que j'en avais écrit, des conneries !), à voler en battant des bras, comme certains de mes personnages, mais au cours des six dernières années que j'avais passées à sillonner le monde pour parler de mes livres, invité chaque semaine dans de nombreux pays, pour de nombreux événements, j'avais vécu des situations incroyables, dans le sens le plus littéral du terme. Alors, pourquoi ne pas arrêter d'inventer, pour une fois ? Pourquoi ne pas raconter un vrai voyage ? Je n'eus pas à réfléchir dix secondes pour savoir lequel je coucherais sur le papier. Je me frottai les mains et envoyai un mail à Charlotte, fier de moi. C'est bon, Charlotte. Le voyage. C'est bon. Je pris mon téléphone portable, ouvris un mail et commençai à écrire.

*
★ ★

Le Sushi-Spritz, sis à S., en Espagne, était un restaurant avant-gardiste où les plats, difficilement identifiables, mélangeaient la cuisine japonaise et autrichienne. Les chefs du monde entier semblaient avoir épuisé toutes les combinaisons possibles et inimaginables. Un jour, il n'était plus resté que celle-ci, la japonaise-autrichienne, ou austro-japonaise, c'est selon à quoi l'on donne le plus d'importance, alors, ils avaient ouvert le Sushi-Spritz.

Je ne sais plus comment je l'avais découvert. Sans doute, car c'est là une habitude que j'ai contractée au cours de mes voyages, en entrant dans Google Maps le nom de l'hôtel dans lequel je séjournais et en cherchant l'établissement de restauration le plus proche. Ils apparaissaient alors sous la forme d'une petite fourchette grise et, si on cliquait dessus, tout un tas d'informations nous sautaient au visage. Style de cuisine, prix moyen de l'assiette, opinions diverses plus ou moins étayées de consommateurs plus ou moins crédibles.

Ce soir-là, après la rencontre avec mes lecteurs de S. (ils n'étaient pas nombreux), j'avais refusé, malgré l'insistance du libraire, Josep, l'invitation à dîner avec des élus locaux, lui préférant de loin la lecture d'un roman acheté à l'aéroport dans un bain chaud. Après avoir réservé en ligne une table pour une personne, j'avais reçu un mail m'indiquant que ma demande avait bien été prise en compte. On précisait : *Tenue vestimentaire de cocktail de rigueur. Jean, T-shirt et baskets très fortement déconseillés.* Ça tombait bien, c'était justement ce que je portais. Par pur esprit de contradiction, j'étais donc resté en jean, T-shirt et baskets (si Umberto Eco voyageait avec un saumon, je voyageais rarement avec une tenue de cocktail dans ma valise de cabine, devenue de plus en plus petite au gré des nouvelles mesures des compagnies aériennes). Si l'on me refusait l'entrée, je pouvais toujours opter pour un autre établissement où me remplir le ventre, l'Espagne n'en manquant pas.

À ma grande surprise, les deux mastodontes postés devant la porte m'avaient laissé entrer sans problème. Je m'interrogeai sur la pertinence d'énoncer des règles si c'était pour ne pas les faire respecter. Il est

vrai que *très fortement déconseillés* n'était, ni légale-
ment ni linguistiquement parlant, pas la même chose
qu'*interdit*, mais bon, donnait-on des cours de droit
ou de linguistique aux physionomistes qui gardaient
l'entrée des restaurants ? D'ailleurs, depuis quand
mettait-on des gorilles à l'entrée des restaurants ?
Bref, ce *très fortement déconseillés* était un fourre-tout
qui leur donnait assez de liberté pour laisser dehors
la première tête qui ne leur reviendrait pas. Je devais
porter le jean, T-shirt, baskets avec une élégance
folle. C'est donc tel un prince, ou du moins le Clark
Gable du *casual*, que j'entrai dans le Sushi-Spritz.

On me donna une petite table dans le fond de
la salle, à côté des toilettes. De mon expérience, et
retenez bien ceci, je n'accepte jamais la première
table que l'on me propose. On vous offre tout le
temps celle dans le couloir, où tout le monde vous
frôle en passant, vous donne de grands coups dans
le dos en émettant des grognements ou des « par-
dons » qui deviennent de plus en plus des grognements, car vous gênez. On vous donne toujours
cette table que personne ne veut à côté de la porte
d'entrée, en plein hiver, lorsqu'il fait moins 10 °C
dehors et que des clients ne font qu'entrer. Ou
sortir. Ou cette table encore, située pile en dessous
de la clim. Une colonne d'air gelée s'abat sur vous,
vous froisse la permanente, s'infiltre dans votre cou,
vous refroidit jusqu'aux os, vous et votre potage.
Tout cela vous dit quelque chose ? Avouez, honte
à vous, vous n'arrêtez pas d'accepter cette première
table. La prochaine fois, demandez directement la
deuxième. Donc voilà, j'avais hérité de celle près
des toilettes, celle-là n'est pas mal non plus dans
son genre. Le manège est incessant, les odeurs se

marient difficilement avec votre plat, même avec de la cuisine austro-japonaise, croyez-moi. J'objectais donc, par pur automatisme, et signalai du doigt une table vide à quelques mètres de là. « Elle est réservée », me répondit-on sur le ton d'un serveur habitué à se voir refuser la première table qu'il refuse (j'en conviens, cette phrase est assez compliquée à comprendre). « Celle-ci, alors », continuai-je en en désignant une autre. Même réponse. Toutes les tables étaient prises, il ne restait plus que celle-là. Je l'acceptai à contrecœur. J'avais faim.

On me laissa mijoter pendant dix bonnes minutes. Je voyais passer les plats merveilleusement « dressés », comme l'on dit dans les programmes de concours culinaires à la mode. Je les imaginais succulents. L'eau m'en venait à la bouche. Je levai la main, demeurai dans cette position quelques minutes, décidai de passer à la vitesse supérieure, tentai un « S'il vous plaît, garçon ! » qui laissa tout ce beau monde indifférent. Enfin, un serveur complaisant s'arrêta et me tendit une carte avant de disparaître. Satisfait, j'y jetai un coup d'œil. Il n'y avait que deux plats. Steak-frites ou coquillettes au beurre. Je retournai la carte, son verso était vierge. Je levai de nouveau la main, demeurai encore ainsi plusieurs minutes, tentant d'engager ce que les Américains appellent l'*eye contact*. Mais ne réussis à entrer en contact avec aucune vie présente. Les serveurs semblaient prendre un malin plaisir à ne pas me voir ou faire ceux qui ne me voyaient pas. On n'engageait que des aveugles dans ce restaurant, c'était d'un pratique… Enfin, le même serveur, sorti de nulle part, celui qui m'avait remis la carte, apparut devant moi.

— Monsieur a fait son choix ?

La formule m'arracha presque un fou rire.

Monsieur a fait son choix entre steak-frites et coquillettes ? pensai-je.

— Il doit y avoir une erreur, je n'ai pas demandé le menu enfant.

— Oh, répondit l'homme, confus (et je crus bien qu'il allait s'excuser, partir et revenir avec la bonne carte, mais il resta là et continua), ce n'est pas le menu enfant, monsieur.

— Pouvez-vous alors m'expliquer ce qu'ont le steak-frites et les coquillettes de japonais ou d'autrichien ? Plus sérieusement, voilà presque une heure que je vois passer de succulents mets sous mon nez, c'est de la torture pure et simple !

— Je suis désolé, monsieur, il n'y a plus rien, il ne reste que cela.

J'affichai une mine étonnée, lui désignai les plats qui n'arrêtaient pas de sortir de la cuisine alors que nous parlions, et venaient atterrir sur les autres tables.

— Ces repas étaient déjà commandés. Il ne nous reste plus que cela, monsieur.

Voilà que l'on me refaisait le coup de la table.

— Très bien, dis-je, dépité, alors je prendrai un steak-frites.

— La cuisson du steak ?

— Bleue.

— Très bien, monsieur. Et pour boire ?

— Je vous aurais bien pris un mouton-rothschild à 360 euros la bouteille, mais, avec le steak-frites, eh bien, je prendrai un Coca zéro.

Il reprit la carte sans relever l'ironie, s'inclina en avant, fit claquer ses talons à la manière d'un officier nazi et disparut.

J'observai la salle. Les hommes et les femmes qui s'y trouvaient portaient leur plus belle toilette, de véritables habits de gala. J'entendais les serveurs présenter les plats. « Shishami mariné dans son sakuté avec bratwurst sur son lit de pommes de terre. » « Panais sauce washami accompagné de ses buccules-spürtfach flambées. » L'homme levait une cloche en argent, et une grande flamme s'élevait dans les airs comme dans un tour de magie. Des exclamations de surprise et de joie accompagnaient les démonstrations. Parfois même des applaudissements. Tout cela était d'un grotesque.

Je fus tellement pris par le spectacle que je mis une demi-heure à me rendre compte que je n'étais pas entré dans ce restaurant pour voir un show de serveurs acrobates, mais pour manger. Je levai la main, on m'ignora. Lorsque j'étais sur le point d'appeler un serveur, le mien arriva et me posa l'assiette sur la table. Un pauvre steak bien trop cuit avec des frites molles.

— Bonne dégustation, osa-t-il me dire.

— Et moi, je n'ai pas droit à la cloche en argent ? Aux flammes ? Attendez, ne répondez pas, vous n'en avez plus ! C'est ça ? Il ne reste plus de cloche et vous n'avez plus d'allumettes !

Le serveur esquissa un petit sourire gêné.

— Non, parce que, si je vous dérange, faut le dire !

Je n'en pouvais plus, j'étais à bout. Le bras me faisait mal de l'avoir tant levé. Je scrutai la salle à la recherche du chef. C'était la règle numéro 2. La première, vous vous en rappelez, ne jamais accepter la première table que l'on vous propose en entrant dans un restaurant, la deuxième, toujours parler au chef. Mon père, colonel de l'armée, disait toujours : « Moi, je ne parle pas aux sous-fifres, appelez-moi votre supérieur. » Il m'avait tellement fait honte (et rire) à plusieurs occasions ! Je me levai, attrapai le premier serveur par le bras et lui dis :

— Moi, je ne parle pas aux sous-supérieurs, appelez-moi votre fifre ! Enfin, le contraire (sur le ton que j'avais vu mon père prendre).

— Mon supérieur ? C'est moi, répondit-il.

Quel œil ! pensai-je en notant sa phrase dans un coin de ma mémoire pour la ressortir dans un prochain roman. « Mon supérieur, c'est moi. » J'adore…

Je lui expliquai brièvement comment j'avais été traité depuis mon arrivée dans ces lieux. Lorsque j'eus terminé, l'homme m'observa de pied en cap, fronça un sourcil puis l'autre en hochant la tête. À ce moment-là, la porte des toilettes s'ouvrit, et une odeur nauséabonde nous sauta au visage, comme pour illustrer mes propos. Je remerciai, dans ma tête, la Providence.

— Et puis, si vous pouviez me changer de place, parce que là, ça commence à devenir impossible. J'ai vraiment l'impression de bouffer de la merde.

L'homme regarda mon assiette. Le pauvre steak haché rabougri, les pauvres frites. Mon espagnol était impeccable, mais il dut penser que je critiquais le plat.

— Écoutez, si en plus vous posez des problèmes…

— Comment ça, *en plus* ? En plus de quoi ?

— Mauricio, appela-t-il au lieu de me répondre. Mon serveur accourut.

— Veuillez préparer l'addition pour ce monsieur. Puis se tournant vers moi :

— Payez l'addition au comptoir et allez traîner vos guenilles ailleurs, je vous prie.

Incapable de réagir, je me retrouvai bientôt devant une table vide dont l'on retira la nappe en tissu comme si je n'étais plus là. Hagard, je me levai, me dirigeai vers le comptoir et demandai la raison d'un comportement si odieux à mon égard. Pour toute réponse, le maître actionna un minuscule micro qu'il tenait dans sa main : « Carlos, on a un petit problème. » Et avant que je ne réalise que j'étais ce petit problème, un des deux gorilles de l'entrée, bien entendu le plus costaud, était arrivé et me pressait de payer. Je sortis ma carte de crédit et réglai la note sans discuter.

— Regardez ces personnes, me dit le gorille Carlos.

Je jetai de nouveau un coup d'œil sur ces gens habillés de smokings, de costumes, de belles robes de soirée. Tous semblaient passer un bon moment. On ne les brusquait pas. Ils étaient assis loin des toilettes et pouvaient déguster leurs spécialités austro-japonaises en toute sérénité olfactive. Je compris alors. On m'avait donné le service réservé aux gens qui n'avaient pas fait l'effort de s'habiller, d'écouter les consignes. Les gens en jean, T-shirt, baskets, ceux visés par le *très fortement déconseillés*.

Je traversai le restaurant accompagné par le videur, sous le regard méprisant du maître, du serveur et de quelques clients. « C'est tout du congelé ! » m'exclamai-je avant que l'on me pousse dehors et que je m'écrase sur le pavé.

★
★ ★

J'envoyai le mail, il partit avec un petit bruit de fusée qui décolle puis apparut presque aussitôt dans ma boîte de réception Hotmail. Satisfait, je vaquai à d'autres occupations.

Ce ne fut que le soir que je m'aperçus, en collant ces quelques paragraphes dans un document Word, que l'incident du Sushi-Spritz ne représentait (dans ma vie et dans mon œuvre) que la modique somme de 15 550 caractères. Espaces compris. Soit un peu moins de la moitié de ce que Charlotte avait l'habitude de me demander (25 000). Je fus tenté d'augmenter la taille de la police que j'avais utilisée (Garamond 16), mais je la savais pernicieuse. Charlotte comptait les caractères, non les pages Word. Et il lui arrivait parfois de m'appeler. « Merci, Romain, pour ta contribution, ta nouvelle est merveilleuse, tellement belle, tellement sensée, drôle… mais… il te manque 53 caractères ! » Je me mettais parfois à trembler. Je les voyais me narguer, ces 53 caractères, papillonnant au-dessus de moi, l'air de dire : *Tu ne nous attraperas pas !* Mais ce ne serait pas pour cette fois-ci, car, du voyage à S., je n'avais pas tout écrit. Oh, non. Charlotte, prépare-toi !

★
★ ★

Avant de repartir de S., le lendemain matin, pour ceux qui suivent, le lendemain de mon passage inoubliable au restaurant austro-japonais, Josep, le libraire, me demanda si ma soirée s'était bien passée. Il me posa la question sur un petit ton que je jugeai suspect (il ne faut pas m'en vouloir, j'ai été flic dans une vie antérieure) qui me fit aussitôt penser qu'on l'avait mis au courant de mes déboires au Sushi-Spritz. Bien évidemment, je mentis (il ne faut pas m'en vouloir, j'ai été flic dans une vie antérieure, pardon pour les répétitions, ça fait plus de caractères pour Charlotte…). Il me répondit qu'il en était heureux et que, avant d'aller à l'aéroport, nous ferions un petit détour par la mairie, car l'élu local, avec qui j'avais refusé de dîner la veille, souhaitait toujours me rencontrer. « Ce n'est pas tous les jours que l'on a un écrivain international à S. ! » s'exclama-t-il sur un petit ton qui ne me plut pas, mais alors pas du tout, en prenant ma valise qu'il balança dans le coffre. Puis nous nous mîmes en route.

D'après ce que l'on me raconta, des travaux de rénovation de l'aile ouest de la mairie de S. réalisés en 2014 avaient mis au jour des ruines. Des ruines de je ne sais quoi, de je ne sais quelle époque, car j'avais quelques absences quand la conversation commençait à durer, et celle du gentil maire commençait à s'éterniser. C'était le genre d'hommes qui parle sans attendre de réponse, qui parle, qui parle, qui n'arrête pas de parler. On lui met une personne en face et il parle. On pourrait lui mettre un arbre qu'il ne cesserait de parler.

Bref, à ce qu'il paraissait, l'hôtel de ville avait été construit sur une ancienne fontaine. Preuve en main, un ouvrier était remonté de son échelle en tenant un robinet en cuivre. Un joli robinet au bec en forme de gargouille qui était tout de suite devenu le symbole du village. Le maire l'avait fait mettre dans une urne en verre et exposer au musée local et s'était empressé de passer commande, auprès de son fournisseur local, de dizaines de répliques grandeur nature dudit robinet juché, pour l'occasion, sur un socle en marbre frappé des armoiries de la ville et d'une plaque portant fièrement le nom de S. Dès qu'il recevait une personnalité, monsieur le maire lui offrait un robinet avec l'intention de faire connaître son beau village dans le monde. Il s'imaginait peut-être que Bono, Madonna ou Barack Obama, qui n'étaient d'ailleurs jamais passés par S., mais on ne sait jamais, afficheraient leur présent sur la plus belle étagère de leur maison de Los Angeles, entre un oscar ou un Grammy Award, provoquant ainsi l'envie ou la curiosité de leurs visiteurs de choix. « Quel joli robinet ! (*What a beautiful tap !* en version originale.) Où l'as-tu trouvé ? – Il m'a été offert par le maire de S. – S. ? *What the fuck is S. ?* – C'est un petit village espagnol, typique, charmant, tu es reçu comme un roi, surtout au Sushi-Spritz. »

Comme je le disais, Bono, Madonna et Barack Obama n'étaient jamais allés à S., seulement des types comme Romain Puértolas, imaginez, et je me suis demandé, alors que le maire continuait de me parler, combien « d'illustres » personnes ayant réellement passé une journée ici avaient « oublié » leur affreux cadeau dans leur chambre d'hôtel. Il était trop tard pour moi, je ne repasserais pas par l'hôtel. Je me demandai donc comment m'en débarrasser tandis que le maire continuait de parler, de parler, et de parler encore.

Josep, en plus d'être libraire, était employé de mairie. Je crois qu'il tirait de cette activité un salaire plus important et fixe que la vente de livres, qui ne devait représenter qu'une mince partie de ses revenus, un caprice, une passion. Il se leva, s'excusa auprès de son supérieur (« Mon supérieur, c'est moi… »), car nous devions partir si je ne voulais pas rater mon vol (il ne manquerait plus que ça !). Le maire s'arrêta de parler, me sourit et me serra la main, puis il tourna les talons et disparut, soucieux de trouver une nouvelle victime.

Dans la voiture, Josep me confia l'un de ses plus intimes secrets. Il convoitait le robinet.

— Pardon ?

— J'adorerais recevoir un robinet. Cela fait quatre ans que je vois le maire les remettre sous mon nez sans que jamais il m'en offre un.

Il m'expliqua avec force détails qu'il avait déjà prévu où le mettre chez lui, sur la cheminée, entre la photo de l'arrière-grand-mère au sourire édenté et la lampe à bulles multicolores que sa fille avait rapportée d'un voyage de classe dans le sud de la France. L'obsession de Josep était telle qu'il s'était mis dans le crâne d'écrire un livre, un best-seller plus précisément, pour pouvoir être reçu avec tous les honneurs par le maire et recevoir un robinet. L'occasion était trop belle, je lui proposai de lui donner le mien.

— Non, Romain, c'est très gentil, mais je veux gagner *mon* robinet !

La conversation était surréaliste.

Même si Josep était connu à S. (lorsqu'il m'avait fait visiter la ville avant la rencontre en librairie, la veille, rares étaient les fois où quelqu'un ne nous avait pas arrêtés pour le saluer), il lui manquait cette dimension nationale, voire internationale, nécessaire à l'obtention d'un robinet. Nul n'est prophète en son pays.

— J'ai des idées de roman, me dit-il lorsque nous arrivâmes à l'aéroport.

— Alors, vas-y, Josep, fonce ! lui répondis-je en lui serrant la main après avoir pris ma valise du coffre. Écris ! Et gagne-le, ce foutu robinet !

Puis je m'éloignai au plus vite, ravi de quitter ce repaire de fous. Quelques minutes après, je passai le contrôle de sécurité de l'aéroport. Alors que j'étais en train de remettre ma ceinture, je vis l'agent affecté au scanner se lever et s'approcher de ma valise. Je ne savais que trop ce que cela signifiait. Il voulait examiner le contenu de mes bagages de plus près.

— Je peux ? me demanda-t-il, la main sur la fermeture Éclair (de ma valise, bien sûr...).

J'acquiesçai. Il fouilla entre mes caleçons et mes chaussettes et en retira le robinet avec la satisfaction d'un douanier tombant sur 10 kilos de cocaïne.

— Qu'est-ce que c'est que ça ?

— Un robinet, répondis-je, conscient que j'aurais pu développer un peu plus ma réponse.

Il estima l'objet d'un regard qui sembla le traverser à la manière de rayons X, le soupesa, se demanda si je pouvais représenter une menace pour le vol.

— Qu'est-ce que vous faites avec un robinet dans votre bagage ?

— C'est un cadeau.

— Bien sûr... dit l'agent de sécurité en dodelinant de la tête, le genre de « bien sûr » que dit un psy en écoutant un mec qui vient de lui expliquer qu'il a découpé sa femme en morceaux pour son bien.

Il interpella un policier qui passait par là. L'homme s'approcha et prit le trophée en main.

— Voilà, je suis écrivain, expliquai-je, et j'ai récemment fait une rencontre en librairie à S. Monsieur le maire m'a offert ce robinet pour me remercier.

Je sentais le sol se dérober à chacun de mes mots.

— Je sais, sur le coup, j'étais aussi étonné que vous, mais qu'est-ce que vous voulez que je vous dise ?

Le policier et l'agent de sécurité se regardèrent, visiblement embarrassés. Je pensais que l'affaire était entendue quand le policier me demanda :

— Pourquoi le maire de S. vous aurait-il offert un robinet ?

En tant que linguiste, je n'ignorai pas la dimension rhétorique de sa question. Elle revenait à dire : « Alors comme ça, on offrirait des robinets à des écrivains ? Vous ne vous foutez pas un petit peu de notre gueule ? » Je fus tenté de leur dire qu'Umberto Eco avait bien voyagé avec un saumon, lui, que c'était même raconté en détail dans l'un de ses bouquins. Alors pourquoi pas un robinet ? Mais connaissaient-ils seulement Umberto Eco ?

Au lieu de cela, je leur expliquai les travaux sur l'aile ouest de la mairie, la découverte du fameux robinet, les répliques commandées par le maire, le cadeau fait aux personnalités qui visitaient la ville. Madonna, Bono, Barack Obama, qui n'étaient pourtant jamais venus dans le coin. Les deux hommes me regardaient d'un air sceptique.

— Je ne vais quand même pas détourner l'avion avec un robinet ! m'exclamai-je, à bout.

Rappelez-vous de ceci, la prochaine fois que vous vous trouverez dans un aéroport (pour un resto, vous savez déjà, jamais la première table !) : il y a des mots à ne prononcer sous aucun prétexte. *Détourner* en fait partie, au même titre que *bombe* ou *Allahou akbar*. Ou *robinet*.

— Pourquoi, vous pensez détourner l'avion ?

— Non ! Bien sûr que non ! me défendis-je. Écoutez, je vous répète, je suis écrivain, Romain Puértolas, vous ne me connaissez pas ? Non ?... *Le Fakir dans l'armoire Ikea* ? Non ? Toujours pas ? Quoi ? Pardon ? C'est quoi cette histoire de fakir caché dans une armoire Ikea ? Je cache des clandestins dans une armoire Ikea ? Non, monsieur, bon, oubliez, j'ai été invité à S. par un certain Josep A. qui adore mes livres et qui voulait que je rencontre des lecteurs de...

— Qu'est-ce que vous avez dit ?

— Que j'ai été invité à S. par un certain Josep A. qui...

— Vous connaissez Josep ?

Stupeur. Tremblements.

— Oui, pourquoi ?

Le visage des deux hommes se relâcha aussitôt.

— Il fallait le dire plus tôt !

Comme si je devais traverser tous les contrôles d'aéroport du monde entier en disant : « Je suis un ami de Josep A. » Imaginez le truc !

— Vous pouvez y aller, dit le policier en me rendant mon robinet. Bon vol.

Et l'affaire, qui avait bien pris un quart d'heure, fut résolue en deux secondes.

Alors que je repensais à ce qu'il venait de m'arriver, en attendant l'avion, une blague me revint à l'esprit. Celle dans laquelle Coco, un mec des quartiers, se retrouve avec le pape sur le balcon de la basilique Saint-Pierre de Rome. Dans la foule, un type s'exclame alors : « C'est qui le mec tout en blanc à côté de Coco ? »

★
★ ★

— 26 534

— Pardon ?

— Ton histoire, elle fait 26 531 caractères, espaces compris.

— Ah. Et alors ?

— Eh bien alors c'est trop ! 1 534 de trop, tu comprends ?

— Mais...

— Maintenant, 26 700, arrête !

— OK, Charlotte, alors voilà ce que l'on va faire. Tu connais le dicton « Une image vaut 1 000 mots » ? 25 000, en l'occurrence... Alors voilà, mets juste la photo du robinet...

© D.R.

Leïla SLIMANI

Je t'emmène

Leïla Slimani est une journaliste et romancière remarquée dès son premier roman *Dans le jardin de l'ogre*, publié aux Éditions Gallimard, sélectionné pour le Prix de Flore. Son deuxième roman, *Chanson douce*, paru chez le même éditeur, a été récompensé par le Prix Goncourt. Engagée sur la scène politique et représentante du Président Emmanuel Macron pour la francophonie, elle a aussi été présidente du Prix du Livre Inter.

L'appartement est plongé dans le noir. Au bout de quelques secondes, les yeux de Marie s'habituent à l'obscurité et elle distingue les silhouettes familières des meubles ; les angles de la table basse, la forme massive et lugubre d'un fauteuil. Sa mère, Irène, est assise sur le bord du lit et sa main caresse le matelas nu.

— Pourquoi n'as-tu pas allumé la lumière ? Tu ne devrais pas rester dans le noir.

Au moment où Marie appuie sur l'interrupteur, Irène tressaille, comme un animal surpris par les phares d'une voiture au milieu d'une route.

Marie ouvre les volets et des bruits leur parviennent de la rue : des enfants qui jouent dans le parc en face de l'immeuble et une femme qui parle depuis son balcon à un homme resté en bas. Elle ressent un pincement au cœur, si aigu, si douloureux qu'elle a du mal à respirer. Marie traverse le salon puis la cuisine. Elle aurait voulu boire un verre, mais la bouteille qu'elle rangeait au fond du placard a disparu. Les tiroirs sont vides, la vaisselle a été rangée dans des cartons empilés sur le sol. La femme de ménage a lavé le lino à grandes eaux et elle a même, semble-t-il, savonné les murs. Ne traînent plus, sur les commodes ou les tables de chevet, les petits bibelots que sa mère collectionnait et dont son père se moquait avec affection. « Irène et ses chinoiseries ! »

Marie retourne dans la chambre. Irène est debout à présent, le dos un peu courbé, et ses mains, tordues et tremblantes, s'agitent sans but. Son visage est resté beau malgré la dévastation des ans, malgré les rides et les paupières tombantes. Irène est inquiète, Marie la regarde faire les cent pas dans l'appartement. Elle cherche quelque chose, mais visiblement elle ne sait plus quoi. Irène s'assoit de nouveau et vide son sac à main. Elle demande à quelle heure est le train. Marie la rassure : « Nous avons tout le temps, ne t'inquiète pas. Il ne part que dans deux heures. » Marie plie des vêtements qu'elle pose sur la valise.

Depuis quelques années, sa mère a peur de tout. Oui, c'est peut-être cela, la vieillesse, une peur constante et enfantine, une peur irrationnelle. Irène a peur des tempêtes, des arbres qui tombent, des inconnus dans la rue qui ne la remarquent pas et qui pourraient la bousculer. Elle a peur du vent et des rats qui surgissent des buissons et des terre-pleins. Peur qu'on profite de sa vulnérabilité, qu'on l'attaque. Elle a peur de l'administration, du fonctionnaire des impôts, de l'employé de La Poste qui la trouve trop lente. Un jour, alors qu'elle était encore alerte, Irène a confié à Marie que sa lenteur lui pesait. Des gestes qui autrefois lui semblaient faciles, auxquels elle ne pensait même pas, lui demandaient un temps considérable. Elle avait honte de lacer ses chaussures si lentement, de ne pas réussir à prendre une décision pourtant banale. Elle était dévorée d'angoisse à la perspective de rater un rendez-vous, et elle arrivait toujours beaucoup trop en avance.

Marie passe sa main sur son visage. Le temps a passé si vite, le meilleur s'en est allé. Leur vie est peuplée de fantômes, d'époques révolues, de bonheurs éteints. Marie a soixante ans, ses enfants sont partis, elle se sent lassée de son métier, de son mari, de son appartement encombré de souvenirs. Le meilleur de la vie est dépassé et elle a beau lire dans les magazines que, à soixante ans, une nouvelle vie commence, elle ne peut pas y croire. On ne va pas pleurer, on ne va pas se plaindre. On ne va pas ajouter la tristesse à la laideur de ce visage ridé. Mais non, on n'a pas peur. Et les vieux font l'amour et les vieux sont heureux. Il faut être une bonne vieille, digne et courageuse, une vieille animée d'intentions louables et pleine de projets.

Foutaises. Mensonges. Ce qui l'attend, c'est une ère d'effacement et de mélancolie. Elle regarde Irène, qui est arrivée au bout de ce chemin et qui s'apprête à disparaître. La fille et la mère sont devenues des femmes âgées et silencieuses, porteuses de secrets impossibles à partager. De hontes. De remords. Autrefois, se dit Marie en portant la valise de sa mère jusqu'à l'ascenseur, nous nous disions tout. La vie n'était qu'une suite de projets flamboyants : les études de Marie, les amours de Marie, les enfants de Marie.

Dans le hall, elle aide Irène à fermer les boutons de son manteau. Elle se souvient de la façon dont sa mère l'habillait quand elle était enfant, puis accroupie sur ses talons disait : « Comme tu es jolie ! » Elle voudrait lui dire la même chose. « Que tu es jolie, Maman ! », mais elle se contente de caresser le crâne qui dodeline, de passer sa main sur ce visage rabougri tel un fruit blet.

Comme elle a été fière de sa mère ! Comme elle aimait que ses amis rencontrent Irène, qu'ils constatent sa beauté, son intelligence ! Quand elle entrait dans une pièce, sa mère devenait immédiatement l'objet de l'attention générale. Les femmes la jalousaient d'abord, mais finissaient par céder à ses charmes, par succomber à son humour et à sa gentillesse. Qu'est devenue cette femme ? Où a-t-elle disparu ? Comment Irène a-t-elle pu devenir si transparente au fil des ans ? Marie en a pris conscience quelques mois auparavant, lors d'un dîner qu'elle a organisé chez elle. Irène passait le week-end avec eux et elle lui a proposé de s'installer à table, entre Thomas, son mari, et Pascal, un collègue de travail. Pendant l'apéritif, Marie est restée à la cuisine, occupée par la préparation du dîner, et elle n'a fait que de brèves apparitions dans le salon pour s'assurer que les verres des convives étaient remplis, que la bouteille de vin blanc était assez fraîche. Et puis, au moment de s'asseoir, elle a vu le regard de Pascal, gêné et plein d'une compassion vulgaire à l'endroit d'Irène. Il tournait ostensiblement son visage de l'autre côté de la table, comme pour signifier qu'elle n'existait pas, qu'il ne la voyait pas. Marie s'est assise à sa place, elle a continué de sourire, elle a servi ses invités, mais elle n'arrivait pas à écouter son voisin qui racontait la naissance de son petit-fils. Elle fixait, désespérée, la main qu'Irène venait de poser sur le bras de Pascal en cherchant à capter son attention. Pascal, piégé, lui a adressé un sourire, et son visage a pris un air absent. « Écoute-la ! » a eu envie de hurler

Marie. « Tu vois bien qu'elle te parle », aurait-elle voulu lancer à travers la longue table de la salle à manger. Tout le monde riait, quelqu'un a renversé du vin rouge sur la nappe et s'est excusé, mais Marie s'en fichait. Irène parlait seule, à présent, comme ces poupées sur le ventre desquelles on appuie et qui chantent des chansons d'une voix monotone.

Irène radote. Elle commence ses phrases par « Est-ce que je t'ai déjà dit que ? » et lorsqu'elle se met à raconter, elle s'aperçoit qu'elle l'a déjà fait, mais il est trop tard pour reculer, alors elle écourte son récit et rougit de honte. L'assurance qu'elle affichait autrefois et qui était comme un rempart contre la méchanceté des hommes s'est effritée. Marie, pour la première fois de sa vie, comprend ces vieillards acariâtres qui vivent toutes griffes dehors, qui attaquent avant d'être attaqués.

Dans la gare, Irène a l'air déboussolée. Marie doit lui tenir le coude et ralentir sa marche. Elle lui parle, pour lui donner du courage, pour l'obliger à penser à autre chose. Marie faisait ça avec son fils Éric quand il était petit. Lui raconter des histoires était le seul moyen de l'empêcher de faire des bêtises ou de se donner en spectacle dans la rue. Alors, elle raconte à Irène ses problèmes de travail, elle se plaint de son mari. Elle n'ose pas lui dire que personne n'a voulu l'accompagner. Qu'Éric, qui est grand maintenant, a dit : « Je ne peux pas. C'est trop dur. » Tandis qu'elles montent dans le train et s'installent, face à face, à côté de la fenêtre, Marie tente de chasser les images atroces qui l'assaillent. Des trains remplis de prisonniers, des wagons encombrés de bêtes qu'on mène à l'abattoir, des condamnés conduits à la potence alors qu'ils n'ont rien fait.

Le train s'ébranle, une voix d'homme, joyeuse, leur parvient du haut-parleur, elle annonce la destination. Irène semble ne pas l'entendre et garde les yeux rivés sur le paysage qui défile. Des immeubles en travaux, une friche industrielle, un champ de colza. Elle a une étrange capacité désormais à contempler les choses, elle peut rester des heures entières à seulement regarder. *Ce n'est pas la première fois*, pense Marie. *Ce n'est pas la première fois que je me comporte ainsi.*

Elle remonte le fil de son histoire avec l'abandon. Tandis que le train berce sa mère et que celle-ci plonge dans un sommeil serein, Marie fait le compte de ses fautes. Elle se souvient de Gargouille, le chien que ses parents lui avait offert. Un caniche au pelage champagne qui passait ses nuits à gémir et à gratter sa porte. Elle avait nourri à son égard une honteuse antipathie et, au fil des années, elle lui avait manifesté une cruelle indifférence. Gargouille a vécu longtemps. Trop longtemps au goût de l'enfant devenue adolescente. Son museau a blanchi, son haleine est devenue fétide, et Irène s'est prise d'affection pour la vieille bête. Elle ne la grondait pas quand elle filait ses bas ou quand elle s'oubliait sur la moquette du salon. Un jour, alors que Marie rentrait du lycée, Irène était venue à sa rencontre. « Je préférais te le dire avant. Il est arrivé quelque chose à Gargouille. » La chienne, qu'elle avait emmenée au parc ce matin-là, avait été prise d'une crise de folie. Elle courait en rond comme une forcenée et puis, subitement, elle avait glissé et s'était empalée sur une branche. Son œil était crevé. Marie avait trouvé la chienne, allongée sur le flanc, sur le sol blanc de la cuisine. C'était un spectacle effrayant auquel, aujourd'hui encore, elle ne peut songer sans être parcourue de frissons. Son œil était comme réduit en bouillie et, dans le creux de l'orbite, se mêlait un magma de chair et de sang. Marie avait poussé un cri. Elle s'était jetée sur le carrelage et elle avait doucement posé sa joue sur le ventre de la bête. Elle l'avait caressée ainsi, pendant des heures, soulageant un peu sa peine, l'accompagnant dans la mort. Irène en avait été émue et fière. Mais c'était tout autre chose que l'amour, que la bienveillance qui avait conduit Marie à démontrer tant d'affection. En voyant la chienne râler sur le carrelage, elle avait été saisie par un intense sentiment de culpabilité. C'était à cause d'elle que cet accident était arrivé, c'était son manque d'amour qui avait condamné l'animal à une mort si atroce. Elle était restée au chevet de l'agonisante animée par le désir de se racheter, terrorisée à l'idée d'être un jour punie pour le peu de soins qu'elle lui avait accordé.

Avec ses enfants, lorsqu'il avait fallu nettoyer les premières fesses maculées de merde, lorsqu'elle avait dû s'agenouiller pour ramasser la nourriture qu'ils avaient rageusement jetée, elle a souvent repensé à Gargouille. L'œil crevé de la chienne lui revenait en mémoire pour la prévenir contre cette pente terrible, ce désir inavouable d'abandon. Mais les enfants ont un élan, une attirance pour l'avenir, un pouvoir magique qui les rend invulnérables à l'indifférence et à l'égoïsme. Les vieillards n'ont pas ce pouvoir.

Pendant que sa mère dort, Marie se rend au wagon-bar. Avant de se lever, elle demande aux occupants des sièges voisins de jeter un œil sur Irène. « Je n'en ai pas pour longtemps. » Mais, au restaurant, une longue file s'est formée et Marie trépigne d'impatience. Elle parle toute seule, elle s'insurge contre l'inefficacité du serveur. Quand vient son tour, elle commande d'une voix rageuse une bière et une bouteille de rosé. Elle prend une tranche de cake pour sa mère, bien qu'elle sache qu'elle ne la mangera pas. Irène ne mange plus, elle grignote, de temps en temps, comme un petit rongeur. Elle a pris des habitudes étranges. Elle qui était si distinguée, tellement à cheval sur les règles de politesse, mange avec les doigts. Marie l'a surprise en train de manger des carottes râpées à la main. Elle l'a vue plonger les doigts dans la crème d'une tarte au citron et s'en couvrir les lèvres. Elle confond les aliments entre eux et, un jour, dans une petite brasserie de quartier, elle s'est mise à pleurer parce qu'elle confondait des tranches de tomate avec du saumon.

Marie boit, debout face à la vitre. Elle jette la canette de bière, la bouteille vide et, avant de retourner à sa place, elle souffle dans ses mains pour tester son haleine. C'est à cause de son mari qu'elle a commencé à boire. Quand ils n'ont plus eu rien à se dire, quand l'ennui les écrasait au cours de dîners interminables, ils buvaient pour faire passer le temps, et l'alcool, qui les avait fait rire au début et qui avait même parfois excité leurs sens, a fini par provoquer de cruelles disputes. Quand elle retourne à sa place, Irène dort encore et Marie pose sa main sur son épaule. Il va bientôt falloir descendre et le cœur de Marie se serre. Irène met tant de temps à se lever, à enfiler son manteau, il faudra peut-être l'accompagner aux toilettes, remonter sa culotte, refermer le bouton de son pantalon et sa braguette. « Réveille toi, Maman. » Irène, comme arrachée au bonheur, pousse un petit cri déchirant.

La directrice, madame Masson, a eu la gentillesse de leur envoyer une voiture. Irène montre du doigt le chauffeur qui emporte sa valise, elle veut l'en empêcher. Marie doit expliquer : « Ne t'inquiète pas, ce n'est pas un voleur, il est là pour nous conduire. » L'esprit embrumé par l'alcool, Marie commente le paysage. Elle dit des choses ridicules sur les peupliers, sur le calme du village qu'ils traversent, et cela semble ravir le chauffeur, qui est de la région. Il roule trop vite et prend un dos-d'âne avec une telle brutalité que les corps des passagères sont projetés vers l'avant. L'estomac de Marie se soulève et elle sent remonter, dans sa gorge, un mélange de bière et de rosé. Elle pense : *Je vais vomir, Maman* et elle imagine qu'Irène, comme elle le faisait autrefois sur la route des vacances, va lui dire : *Regarde devant toi, ma chérie, regarde l'horizon et ça ira*. Marie retombe contre son siège, prend dans sa main celle de sa mère, elle doit être d'une pâleur de cadavre, à présent. Sa chemise est trempée de sueur et elle pousse un soupir de soulagement quand le chauffeur se gare enfin.

La directrice les attend sur le seuil, elle parle à Irène d'une voix forte, en articulant chaque syllabe. Elle demande si elle a fait bon voyage, elle lui dit combien elle est heureuse de la rencontrer et tout le bon temps qu'elles vont passer ensemble. Irène tourne ses yeux vitreux vers Marie, ses yeux dont l'iris est maintenant cerclé d'une auréole bleue. Marie tient contre elle le coude de sa mère, elle l'attire dans l'entrée, elles passent devant le comptoir d'accueil derrière lequel une femme en blouse saumon parle au téléphone en se cachant la bouche. La directrice les conduit ensuite dans la salle du réfectoire. Il n'est que 17 heures, mais on s'apprête à servir le dîner. La pièce, aux tables disposées en quinconce, est bordée par une large baie vitrée qui donne sur un jardin. « Bien sûr, en hiver, on ne peut pas se rendre compte », dit la directrice comme pour excuser les arbres déplumés, les buissons maigres et gris, les bancs désertés. Quand bien même des fleurs y pousseraient, et même si les tables sont couvertes de nappes blanches, au milieu desquelles on a posé une corbeille de pain et une carafe de vin rouge, rien, rien ne peut consoler la mélancolie de Marie. Quelle laideur ! Elle ne parvient plus à écouter le flot de mots qui s'échappe de la bouche de madame Masson, comme une leçon apprise par cœur et récitée sans entrain. Elle a envie de s'asseoir et de saisir une des carafes de vin. Elle a envie de boire, de fumer une cigarette derrière la porte vitrée, mais déjà la directrice les entraîne un peu plus loin, à gauche du réfectoire. « La salle de loisirs », explique madame Masson qui ne semble pas gênée par le volume de la télévision devant laquelle trois hommes et une femme sont installés, la bouche ouverte, l'air hagard. Sur ce sol en lino crème, les sabots en plastique émettent un crissement désagréable. On entend quelques portes qui claquent. Surnage une odeur de pisse.

Il faut penser aux raisons, se répète Marie, *il faut penser aux raisons qui nous amènent ici*. « Pas le choix », et elle a dû dire cela tout haut, car la directrice s'est tournée vers elle et a haussé lentement les épaules. Le temps a passé si vite. Marie voudrait réprimer un sanglot, mais ses yeux sont pleins de larmes. Le temps a passé si vite. Irène elle-même a dit qu'elle ne voulait pas être un poids. Pendant longtemps elle a refusé de quitter sa maison. Elle voulait rester « chez elle », disait-elle, et elle n'avait que ce mot à la bouche : « Ma maison », et elle se mettait en colère. Puis elle s'est mise à avoir des visions, elle voyait son mari adoré qui la visitait la nuit. S'il n'y avait eu que les fantômes, Marie n'aurait rien dit, mais il y a eu un début d'incendie, une porte laissée ouverte, une baignoire dont sa mère avait oublié de couper l'eau. Il y a eu le vol de tous ses bijoux, sa signature contrefaite sur un chéquier. La directrice, qui à présent parle à Irène et lui vante le calme et la tenue de son établissement, a fait preuve de compréhension quand Marie l'a appelée au téléphone la première fois. « Bien sûr, personne ne fait cela de gaieté de cœur. Mais lorsque cela devient une question de sécurité, il n'y a plus le choix. »

Dans un coin, une femme est assise. Elle porte une chemise de nuit en coton et a sur les genoux une couverture rouge qui fait ressortir la pâleur de ses mains tordues qu'elle tient serrées l'une contre l'autre. Elle a des gestes enfantins, des façons adorables de baisser les yeux, de se tenir tranquille. Son visage n'est plus qu'une plissure, un entremêlement de sillons, et Marie se demande combien de secrets vont disparaître avec elle. Combien de souvenirs, désormais muets, la traversent jour après jour, assise sur cette chaise en plastique rose. La peau de la vieille est si fine que par endroits elle se déchire, et son cou, ses bras, son visage sont couverts de plaies violacées qui menacent de s'ouvrir sur l'intérieur de ce corps, comme un écorché. Qu'est-ce que c'est que cette vie-là ? Que pensent-ils, ces hommes maigres et pâles, assis face à l'écran ? À quoi rêvent-ils, les yeux perdus dans leurs soupes, les lèvres pendantes ? Comme celui des jeunes enfants, leur monde est un mystère, leur âme est inaccessible. Il faut être vieux pour les comprendre. Quand elle aussi sera vieille, Marie comprendra, mais il sera trop tard. Pour l'instant, la vieillesse ne lui inspire que de la peur, du dégoût.

Un jour, Marie a confié à Thomas, son mari, qu'elle ne comprenait pas pourquoi il y avait tant de vieux seuls, dans leur quartier. Des vieux aux cheveux jaunes, aux ongles longs et noirs, dont les pantalons dégagent une odeur d'urine et qui s'endorment un peu sur leur déambulateur, au milieu du trottoir. Comment était-il possible d'en arriver à un tel isolement ? Thomas, que la morale et les émotions n'inquiétaient pas, lui a répondu : « C'est qu'ils ont dû être méchants. Quand on finit seul, ça n'est pas un hasard. »

Dehors, le vent s'est levé, et des nuages gris-mauve passent devant les fenêtres que personne ne regarde. Marie prend la main de sa mère et elle suit madame Masson au fond du couloir. Leurs chaussures collent au lino parcouru de rainures. Marie regarde droit devant elle. Elle ne veut pas tourner les yeux vers les portes laissées ouvertes et risquer d'apercevoir, couchée sur son lit, la silhouette d'un résident.

Dans la chambre, elle ouvre la valise. Elle range dans un tiroir les vêtements de sa mère, elle pose sur le bord du lavabo sa trousse de toilette. Enfant, quand elle était malade, Irène la déshabillait puis la massait avec de l'huile chaude. D'une main, elle pressait le jus d'un demi-citron et le lui faisait boire. Elle disait : « Je voudrais souffrir à ta place, ce serait dans l'ordre des choses. » Comme elle a eu tort de ne pas savoir s'abandonner à l'enfance ! Elle n'a rien compris à l'amour de sa mère, elle a si souvent voulu le fuir, tout occupée à être libre, à embrasser l'avenir. Mais pourquoi a-t-elle été si impatiente de grandir ?

Marie aide Irène à se déshabiller, elle défait le bouton de son pantalon, elle lui demande de lever les bras. La peau d'Irène est d'une pâleur de lune, son torse chétif est couvert de petits grains de beauté roses qui forment une étrange constellation. Irène s'agite. Elle a peur de la nuit qui vient, elle ne veut pas se lever et marcher jusqu'à la salle de bains. Elle pleure, elle fait un caprice. Elle demande si Alain sait qu'elle est là et quand il arrivera. Puis, d'une main tremblante, elle saisit le bras de Marie et approche sa bouche de son oreille : « Comment allons-nous payer, ici ? Nous n'avons pas les moyens pour ce genre d'hôtel. »

Marie se souvient du jour où sa mère l'a emmenée à l'école en petite section – mais peut-être se souvient-elle seulement de ce qu'on lui en a raconté : les hurlements dans la voiture, ses sanglots quand ils se sont garés devant l'école Ronsard, ses supplications qui ont brisé le cœur de sa mère. « Tu t'accrochais à la portière ! lui a mille fois expliqué Irène. Et je n'ai pas eu le cœur de te laisser. » Marie n'est pas allée en petite section et, dans la famille, on riait volontiers de cette histoire. Quelle importance ! On peut bien sauter une année de maternelle, et jouir d'une année de plus dans les jupes de sa mère et de sa nounou, une année de plus à vivre sans règles et sans horaires, sans cantine et sans figures d'autorité.

REMERCIEMENTS

Chers lecteurs,

Nous tenons à remercier les équipes d'Univers Poche et tous nos partenaires solidaires de la chaîne du livre et de sa promotion, ayant permis à cette belle opération de voir le jour :

Pour l'aide juridique :
Sogedif

Pour les textes :
Les 17 écrivains

Pour la couverture :
Riad Sattouf

Pour la photocomposition :
Apex Graphic
Nord Compo

Pour l'impression et le papier :
Stora Enso France

International Paper

Maury Imprimeur
CPI Brodard & Taupin

Pour la distribution et la diffusion :
Interforum

Pour la promotion :

Outils de communication : Nicolas Galy,
Agence NOOOK / Les Hauts de Plafond

Radio : Europe 1 / RFM / RTL / OÜI FM /
NOVA

Presse : *L'Express* / *L'OBS* / *Le Point* /
Télérama / *20 Minutes* / *Femme actuelle* /
Marianne / *Psychologies* / *ELLE* / *Le Figaro littéraire* /
Society / *LiRE* / *Libération* / *Grazia* /
Livres Hebdo / *Sciences et Vie* / *Point de Vue* /
Le Parisien Magazine / *CNEWS Matin* /
L'Amour des livres / *Nous Deux*

Affichage : Insert / Mediagares / Metrobus /
Clearchannel

Ainsi que :
Agence Blackbird / Agence HAVAS /
Piaude Design graphique /
Agence Cook and Com Sonia Dupuis
et ses partenaires / Web-TV prod /
La Colonie

Et tous les libraires de France !

L'équipe éditoriale des éditions Pocket

Vous découvrirez ici la liste de l'intégralité
de nos partenaires solidaires.

Composition et mise en pages
Nord Compo à Villeneuve-d'Ascq

Imprimé en France par

MAURY IMPRIMEUR
à Malesherbes (Loiret)
en septembre 2019

POCKET – 12, avenue d'Italie – 75627 Paris Cedex 13

N° d'impression : 239753
S30550/02